Como ser feliz apesar de tudo

Hugh Prather

Como ser feliz apesar de tudo

Rompendo com velhos hábitos que nos impedem de aproveitar a vida

SEXTANTE

tradução
Iva Sofia Gonçalves Lima

preparo de originais
Valéria Inez Prest
Virginie Leite

revisão
José Tedin Pinto
Sérgio Bellinello Soares

capa
Miriam Lerner

projeto gráfico e diagramação
Valéria Teixeira

fotolitos
RR Donnelley

impressão e acabamento
Cromosete Gráfica e Editora Ltda.

CIP-BRASIL. CATALOGAÇÃO-NA-FONTE
SINDICATO NACIONAL DOS EDITORES DE LIVROS, RJ

P925c Prather, Hugh, 1938-
Como ser feliz apesar de tudo / Hugh Prather; tradução de Iva Sofia Gonçalves Lima. – Rio de Janeiro: Sextante, 2005.

Tradução de: How to live in the world and still be happy
ISBN 85-7542-153-0

1. Conduta. 2. Felicidade.
I. Título.

CDD 158.1
04-3438. CDU 159.94

Editora Sextante (GMT Editores Ltda.)
Rua Voluntários da Pátria, 45 – Gr. 1.404 – Botafogo
22270-000 – Rio de Janeiro – RJ
Tel.: (21) 2286-9944 – Fax: (21) 2286-9244
E-mail: atendimento@esextante.com.br
www.sextante.com.br

Sumário

CAPÍTULO 1

Infelicidade

Apego à infelicidade

A felicidade é uma coisa fácil. Difícil é renunciar à infelicidade. Desejamos abrir mão de tudo, menos do nosso sofrimento.

Somos todos um pouco loucos, não há dúvida, mas ser a favor da infelicidade e não da felicidade pode parecer, à primeira vista, uma atitude sensata. Neste exato momento, o mundo não é um lugar tranqüilo para se viver – na verdade, nunca foi. Então, por que pensar que somos capazes de viver felizes aqui? Ou mesmo que devemos desejar isso?

Pense em tudo aquilo que desejamos. A ironia é que, se você quer alguma coisa, em geral ela não lhe faz bem e, se você a persegue, vai acabar se machucando. Mas quem pode se privar de desejar e buscar algo? Não importa se o objeto do desejo é grande ou pequeno, se é riqueza, fama, influência ou, simplesmente, a comida mais saborosa ou o prazer mais erótico – o resultado é um certo grau de infelicidade.

A chave da felicidade está no trabalho duro. É ser um trabalhador incansável com poucos desejos e sem pressa de alcançar seus objetivos. Mas isso não vai nos livrar de uma das ironias da vida: os frutos do trabalho, independentemente do quanto tenhamos investido para conquistá-los, serão tomados de nós quando morrermos. É possível alguém, realisticamente, escapar do final dessa história? E, sabendo disso, como uma pessoa pode pretender viver feliz e em paz?

Talvez o potencial para a felicidade esteja nos vários anos que nos conduzem à morte – todos os bons momentos que influenciam o modo como nossa vida vai terminar.

Medo da felicidade

Será que em vez de trabalharmos para sermos mais felizes, *deveríamos* estar usando o tempo para fazer alguma outra coisa?

A verdade é que não conseguimos ser felizes sem experimentar um forte sentimento de culpa. Associamos a despreocupação a uma certa irresponsabilidade e temos medo de que, ao aproveitar a vida, não estejamos cuidando dos nossos interesses e fazendo tudo o que poderíamos por um mundo melhor.

Embora para muitos isso talvez ocorra de modo inconsciente, costumamos cultivar uma crença que tem o poder de nos sabotar: a de que não merecemos ser felizes. Se algum aspecto da nossa vida transcorre de forma mais suave do que o *natural*, de certa maneira isso é uma prova da nossa culpa. Sempre que as coisas vão bem demais, tememos uma represália vaga e indefinida. É como se o mundo tivesse uma consciência que rastreasse esses fatos, e, como não estamos obtendo nossa cota de provações, a balança em breve será equilibrada.

Os noticiários contribuem para essa atitude. É muito difícil nos sentarmos em frente à TV e não ficarmos a ponto de acreditar que a tragédia vai se abater sobre nós. E se até aquele momento ela ainda não nos alcançou, é porque alguma lei natural está sendo violada.

Assim, chegamos à conclusão de que precisamos nos manter alerta o tempo todo. Se estamos felizes, acreditamos que baixamos a guarda. Isso significa que nossa mente tem que se concentrar nos perigos à nossa volta. *Mas você já observou o quanto do pensamos que vai acontecer nunca acontece?*

Considere todas aquelas horas que a maioria de nós perde imaginando reações para coisas que jamais acontecerão, formulando respostas para observações que nunca ouviremos. E se por um momento conseguimos escapar desses devaneios sobre o futuro e começamos a pensar, voltamos ao passado e inventamos novas versões para fatos e conversas que aconteceram há muito tempo. Isso é triste, pois poderíamos estar usando a mente de forma muito mais positiva. Se for possível dar algum passo no presente que nos faça sentir mais seguros, então temos que dá-lo a qualquer preço. Mas é claro que não é disso que estamos tratando aqui.

O mundo é realmente um lugar perigoso e obviamente há situações nas quais acontece o que mais tememos. *Mas ficar apavorado alguma vez nos protegeu de qualquer coisa?*

> O medo não faz com que a coisa temida aconteça nem a evita. Ele é estático. É a ausência de música. Não é uma força.

Há uma calma bem no centro de nós, um poço muito profundo de felicidade que não consegue se esgotar, mas que jamais será vivenciado enquanto nossas percepções estiverem deturpadas pela dúvida e pelo temor.

Mil vezes por dia, nossa felicidade é subitamente interrompida pelo medo que sentimos dela. Reprimimos até mesmo uma breve alegria caso ela se prolongue um pouco mais. Se nos pegamos rindo descontraidamente, cantando no chuveiro ou simplesmente assobiando alto, a velha ansiedade começa a manifestar-se. Nosso jeito *frívolo* está sendo posto em questão. Por alguma razão ranheta, devemos reassumir um estado de espírito *sério*, embora não saibamos bem por que isso é útil ou apropriado.

A felicidade é séria. É muito séria, não só porque afeta nossa saúde, nosso trabalho, nossos filhos e todos os outros aspectos da vida mas também porque ela influencia – talvez até mesmo transforme – o mundo. Claro que não estou em posição de conhecer o efeito que o estado de espírito de cada um tem sobre o todo, mas parece não haver dúvidas de que possuímos uma influência mental que se estende além de nossas palavras e gestos.

Essa influência, em geral, recebe um crédito negativo. As pessoas falam de *más vibrações* em certo local ou da aura ruim em volta de determinada pessoa. Mas acredito que exista também o lado positivo. Podemos jogar nossa carga mental na balança do medo e do ódio ou acrescentar ao mundo esperança e bondade. Se precisamos de justificativas para ser felizes, devemos perguntar: Qual é a alternativa? O que a infelicidade pode fazer para aliviar a miséria do mundo?

Certamente, isso não vai diminuir nossa angústia nem melhorar nosso estado de espírito. Não importam nossas palavras ou ações: ao nos mostrarmos amargos, cínicos ou ofendidos, transmitimos o sentimento de que acreditamos no significado dessas emoções.

É curiosa a freqüência com que a paz é defendida com a guerra e a quantidade de vezes que, em nome de uma boa causa, nós nos sentimos à vontade para ser grosseiros com outras pessoas. Chegamos mesmo a pensar que há uma certa lógica em castigar nossos filhos para ensiná-los a não agredir e em repreendê-los para que sejam mais respeitosos. Tudo o que conseguimos com isso é mudar temporariamente o comportamento exterior deles – afinal, não é o *estado de espírito* que realmente demonstra a nossa maneira de encarar a vida?

Quem de fato conhece o efeito de um único pensamento feliz? É possível que ele dê a volta ao mundo e penetre, de forma imperceptível, nos corações abertos, encorajando e dando esperança? Estou convencido de que sim. Sempre que estou amando verdadeiramente, sinto o calor e a presença dos que pensam como eu, uma família que está aumentando, cuja força reside em sua própria bondade e que tem como mensagem o modo pelo qual trata os outros. Acredito que é bom e correto ser feliz, e sei, por experiência própria, que esse é o único caminho pelo qual eu, pessoalmente, posso ser bom.

CAPÍTULO 2

A felicidade

Direto ao ponto

Não se ofenda por eu ser bem direto, mas gostaria de lhe fazer algumas perguntas importantes.

Quando é que você vai parar de brigar com sua aparência? Será que nunca vai conseguir um tempo para se divertir com seu filho? Ou então, para aproveitar a companhia dos seus amigos? Quando pretende realmente apreciar uma boa refeição, em vez de engolir um sanduíche com pressa para voltar ao escritório? Será que algum dia você vai desfrutar os pequenos prazeres da vida, como assistir a um pôr-do-sol ou sentir a brisa roçando seu rosto? Para onde você está indo, afinal? Tudo o que conseguirá descobrir sobre o futuro é que ele permanece o futuro – então por que não pára de remoê-lo? Esse seu jeito de viver é um hábito difícil de mudar, mas você quer mesmo continuar perdendo quase tudo de valor para acabar se perguntando, no leito de morte, por que nunca teve tempo para amar?

Nem eu nem você temos mais tempo para brincadeiras. Vamos acabar com a culpa e o medo. Existe algo a ser feito. Temos uma vida para viver e pessoas com quem podemos nos alegrar. Você sabe, lá dentro do seu coração, que há alguma coisa além de toda essa insignificância e desse caos. É realmente possível viver neste mundo e ainda assim ser feliz. É possível muito mais, mas vamos começar por esse ponto.

Estamos falando do seu *encontro* com a vida. Você não a encontrou até agora porque ainda não conseguiu identificar em que ponto ela está. Onde descobrir a felicidade? Suas milhares de suposições a respeito dela ainda não foram questionadas. No momento, você está vivenciando essas hipóteses. Quase todos os seus pensamentos e ações decorrem delas. E sempre foi assim.

Para que este livro possa fazer alguma diferença, procure entender o seguinte: você terá que se empenhar bastante para modificar sua maneira de agir. No entanto, uma vez que tenha se decidido e se comprometido inteiramente, tudo vai se tornar surpreendentemente fácil. A angústia, o trabalho entediante, o mau humor, o sofrimento, a tensão, nada disso tem a ver com o esforço que você precisa fazer. Não é necessário aderir a organizações, concordar com uma doutrina, seguir uma pessoa ou um livro nem dar dinheiro para causa nenhuma. Basta uma decisão. E ela pode ser tomada agora. É simplesmente isto: "Vou começar."

E o que você deve fazer para começar? Tentar ser bom *agora* – não *parecer* bom, mas ser bom. Esforçar-se – ou melhor, lutar – para ser feliz neste momento em vez de primeiro ganhar aquilo de que você precisa para ser feliz. Algumas pessoas passam por experiências, como escapar da morte por um triz, na qual de repente percebem a importância de abrir seu coração ao presente. E durante um tempo elas ficam transformadas. Mas é comum retomarem os velhos padrões de comportamento, e não se sabe direito por quê. Não deixe que isso lhe aconteça. Não se trata de simplesmente *agregar* o que estou falando à sua vida – isto *deve ser* sua vida.

O objetivo de ser uma pessoa feliz, boa e que vive em paz não deixará espaço para um propósito secundário. Não é possível ter paz de espírito e ao mesmo tempo tirar um tempinho para ficar irritado. O aborrecimento não acrescenta nada às chances de felicidade. É claro que você vai cometer erros. Na realidade, será necessário que perca o medo de errar. Mas agora sua meta vai estar tão firmemente enraizada em seu coração que, todas as vezes que reconhecer uma falha, você inevitavelmente voltará para a única coisa que importa. E o que será?

A princípio, será apenas um breve lampejo, um tipo de felicidade que você já havia deixado de considerar possível. A impressão será de que ela vai e vem como que por mágica. Mas, aos poucos, você começará a reconhecer que a felicidade não depende de nenhum pré-requisito. Finalmente, chegará o momento em que seu entendimento se tornará mais claro: "Nada para mim precisa estar em ordem para que eu possa ser feliz. As pessoas não têm que adotar determinado comportamento para que eu as ame. Estou livre."

A felicidade pode ser duradoura?

A crença de que não existe felicidade permanente é tão difundida e tão profundamente arraigada que, para a maioria das pessoas, trata-se realmente de uma dura realidade da vida. Mesmo que alguém assegure o contrário, não merecerá crédito ou será visto como fraude ou fenômeno. E por que não seria? Quem é que já viveu um dia de *felicidade completa?* Uma vida inteira, então, parece um absurdo.

Ouvimos dizer que as pessoas em seu juízo perfeito não desejariam a felicidade eterna, o que suscita uma questão interessante. É possível *não* desejar aquilo que por definição se deseja?

Em um dicionário, encontro o seguinte sobre a duração da felicidade: "Um estado de bem-estar caracterizado por uma relativa permanência e por um desejo natural de sua continuação." Outra fonte aponta o *lugar* em que a felicidade acontece: "O estado de prazerosa satisfação da mente..."

Os dicionários apenas indicam como a palavra é normalmente usada, e todos os que consultei citam a sorte, a prosperidade e outras formas conhecidas de sucesso como as principais fontes da felicidade. Não se trata apenas de como a palavra é usada, mas também do consenso generalizado de como essa *satisfação da mente* vai e vem. É uma maravilhosa sensação que queremos conservar, mas que depende de fatos externos: "Ah, que manhã linda! Ah, que dia lindo! Está tudo andando do meu jeito."

Mas por quanto tempo as coisas vão andar do nosso jeito? Desejamos roupas melhores. Mas por quanto tempo elas serão as melhores? Desejamos um salário melhor. Mas por quanto tempo ele será o melhor? É assim com o sofá, com o automóvel e com a aparência. Nada permanece o máximo, nada permanece nem mesmo o melhor – seja a pessoa amada, o tapete ou o laptop. Assim não causa espanto que não acreditemos em felicidade duradoura, mesmo que tenhamos um desejo natural de que ela seja eterna. De fato, compreendemos a felicidade de uma forma totalmente infeliz. Para o bem da nossa própria felicidade, achamos melhor esquecê-la de vez como um propósito racional, isto é, a menos que possamos encontrar outra fonte além de *está tudo andando do meu jeito*.

É possível dizer "nada tem que ser perfeito hoje" e ainda assim ser feliz? Na verdade, esse é o único jeito. Porque nada será perfeito, e tenho certeza de que você já percebeu isso. Logo de manhã acontece mais uma vez: uma coisa qualquer entorna, alguém se atrasa, seu cabelo não fica como você queria, sem falar no insuportável cachorro do vizinho. Esqueça a raiva. Há alguma esperança real de acabar com barulhos inconvenientes, obras malfeitas, produtos superfaturados, engarrafamentos de trânsito e grosserias nas lojas? Então, por que se deixar contaminar por isso a ponto de uma simples alegria se tornar impossível? Você pode ser feliz se estiver disposto a isso. A chave é *querer*.

As bases para a felicidade

Há um estado mental que passa de modo suave e natural sobre os intermináveis absurdos que desestruturam o dia. Como uma leve brisa, ele renova todas as coisas, sem incomodar. É feliz por ser ele mesmo. E, sendo alguma coisa, tem algo a dar. Seu oposto é o estado mental que está sempre se metendo em complicações e que se deixa abater por quase tudo. A infelicidade não tem foco, é agitada e, sobretudo, amedrontada. Como não tem uma direção interior tranqüila, ela pega carona em qualquer problema que esteja à sua frente.

A mente pode ser treinada, embora, na maioria das vezes, nossos pensamentos sejam tão caóticos e vulneráveis que passamos o dia olhando para as pessoas através de um espesso nevoeiro mental que nos impede de vê-las como são na realidade. No entanto, o que nos faz felizes é perceber os anseios do coração. Os bebês e as crianças muito pequenas, por exemplo, nos deixam felizes porque conseguimos enxergar sua inocência essencial. No caso deles, observamos isso rapidamente, pois não nos apressamos em criticar.

Um esforço regular feito ao longo dos anos pode, ocasionalmente, criar um pouco da integridade mental necessária para que se adquira uma visão mais tolerante. É por esse motivo que os pais e as mães mais velhos, e especialmente os avós, costumam apreciar mais as crianças do que os pais mais jovens. Quando atingimos a meia-idade, muitas vezes já aprendemos o bastante para nos dedicarmos aos nossos filhos em vez de simplesmente tentar encaixá-los no meio de um emaranhado confuso de objetivos conflitantes.

Por falar em crianças, é tolice apontá-las como modelos de comportamento. É óbvio que elas não vêm ao mundo com tudo de que precisam para permanecerem felizes, caso contrário seriam assim para sempre. Mas é certo que possuem determinados poderes, sobretudo os mentais, que muitos de nós perdemos. Uma criança pode provar que é possível ser uma pessoa extremamente ativa e interessada em todas as coisas e ainda ser feliz, desde que um objetivo harmonioso domine sua mente.

Certa vez, eu e minha mulher, Gayle, levamos nosso filho John a um casamento que celebramos. Os noivos insistiram para que John fosse não só à cerimônia (durante a qual ele se comportou razoavelmente bem para alguém que tinha apenas dois anos) mas também ao jantar em seguida. Como o local escolhido para a comemoração era um restaurante chique, perguntei aos dois se sabiam o que estavam fazendo. "Claro que sim, levem o menino!", disseram rindo.

A mesa estava posta formalmente, com um guardanapo de linho branco enrolado dentro de cada copo de água. Na infância, aprendi que em restaurantes elegantes, a menos que se esteja tomando uma sopa de frutos do mar, ninguém prende o guardanapo no pescoço e, no caso desse prato, a pessoa dá um risinho meio culpado quando o garçom prende o babador. Mas, por qualquer motivo, esqueci a lição quanto ao momento certo de colocar o guardanapo no colo. Com um pavor antigo, olhei para os lados, pensando que qualquer engano seria notado.

Enquanto isso, John puxou o guardanapo dele, brincou de fazer uma cabana e depois colocou todos os seus talheres dentro do copo. Comecei a chamar sua atenção, mas, vendo que ninguém estava se incomodando, deixei que continuasse a fazer o que queria.

Ele pegou uma caixa de fósforos imaginária e começou a *acender* o garfo, a colher e a faca. Explicou a todos à mesa que aquilo era seu bolo de aniversário e que eles iriam apagar as velas. Enquanto o *bolo* passava de mão em mão, John cuidava para que ninguém se esquecesse de nada e, pacientemente, fazia observações como "você não assoprou a colher" e pedia que a pessoa assoprasse. Tudo isso transcorreu alegremente, assim comecei a relaxar um pouco e passei simplesmente a observar.

O primeiro prato servido foi uma salada enfeitada com azeitonas, ingrediente que John detesta. No meu caso, a presença de uma única coisa que não aprecio é suficiente para tirar o prazer de comer todo o prato. John, porém, se encantou com aquelas azeitonas cortadas em rodelinhas que, como ele me explicou, eram na verdade pneus de carros. Em poucos segundos seu prato já havia se transformado numa pista de corrida.

Não vou descrever todos os detalhes desse jantar em que o queijo ralado se transformou em massa de modelagem, etc. É claro que John estava numa situação excepcional. Além disso, todas as crianças pequenas sabem que ficamos em suas mãos em locais onde não desejamos dar vexame.

O que as crianças têm a nos ensinar é justamente essa maneira peculiar de ver as coisas – tão livre do passado –, e não o jeito especial como a expressam. Não se espera que adultos brinquem de cabana com seus guardanapos para obter firmeza de propósito. As crianças são notavelmente decididas porque chegam a uma conclusão única sobre as coisas. John, como qualquer pessoa da idade dele, viu tudo – a mesa arrumada, as pessoas, a comida – através das lentes de uma única interpretação. Tudo estava ali para ser apreciado, e ele tinha certeza de que faria isso.

É evidente que acontece o oposto quando amadurecemos. Cada coisa começa a ter uma função separada e restrita. Até o dia daquele jantar, um guardanapo de linho só tinha uma utilidade para mim, e não era nada tão divertido. Essa visão estreita, às vezes mesquinha, acaba encobrindo o mundo para a maioria dos adultos. Tenho certeza de que você conhece indivíduos que só cultivam amizades que possam servir como um degrau em direção ao dinheiro ou à ascensão social, por exemplo. Para eles, as pessoas só existem para serem usadas. Essa é uma maneira muito infeliz de se ver as coisas.

Vendo o mundo com clareza

"Nada é bom ou mau, é o pensamento que o torna assim." Shakespeare faz Hamlet dizer essas palavras em uma conversa com Rosencrantz, e este último afirma que Hamlet não pensaria em seu país e no mundo como uma prisão se não fosse ambicioso.

É uma sorte que o pensamento atribua às coisas o sentido que elas têm para nós, pois possuímos pouco controle sobre elas. Contudo, somos capazes de dominar o pensamento, pelo menos potencialmente. Isso não significa que, para nos cercarmos do que é positivo, devemos encher a mente com *pensamentos positivos*. Dizer a nós mesmos que todo mundo no fundo é bom e que cada acontecimento é uma bênção é um caminho seguro para uma confusão interior, pois isso vai contra nossa honestidade básica.

> É o pensamento que reveste o mundo, e o mundo tem um efeito surpreendentemente pequeno sobre a nossa felicidade até receber o sentido que lhe atribuímos.

Já ouvimos as expressões "é um pensamento reconfortante" e "é um pensamento perturbador". Tão logo é pensada, uma idéia se incorpora à nossa percepção. Em certo sentido, ela passa a ser os olhos que usamos para ver e determina o que vamos perceber e o que vamos ignorar. O pensamento em si, e não seu objeto, nos conforta e nos faz felizes, infundindo apoio, esperança ou autoconfiança. Da mesma forma, ele, e não seu objeto, afasta o consolo e a força. Em suma, os pensamentos levam a uma relação ou a uma separação.

Entretanto, costuma ser difícil praticar essa forma de percepção. Não temos o hábito de olhar apenas para o pensamento isolado, mas temos a grande tendência de confundir aquilo que vemos com o modo como estamos olhando. Mas é indispensável para nossa felicidade que valorizemos essa diferença.

A boa vontade e a má vontade são atitudes mentais. A raiva nasce na mente e a infecta completamente. Não existem agressões limitadas a um alvo. Sempre que condenamos, cobrimos o mundo de sofrimento. Quando amamos, o abençoamos de forma plena.

Não temos a menor chance de sermos felizes quando estamos com raiva. Mas vivemos em uma época em que esse sentimento é considerado uma das emoções mais úteis. De várias formas, ouvimos o seguinte: "Ter raiva é uma auto-afirmação." Enquanto as pessoas não questionarem esse conceito, nunca descobrirão o que significa passar um dia inteiro em paz. Sempre acontece algo inevitável para justificar a irritação que sentem. Assim, a possibilidade de uma sucessão de dias de paz parece irremediavelmente fora de alcance.

Como a raiva jamais ocorre no nível mais profundo, ela pode ser descartada sem hipocrisia. Perceber com clareza o que desejamos limpa a mente de paixões superficiais e até mesmo da amargura crônica. Mas, sem um trabalho preliminar de base, a maioria das pessoas não atinge um ponto do qual possa ver rapidamente seus verdadeiros sentimentos. Para elas, a pergunta é: o que devo fazer para tornar isso possível?

Como primeiro passo, é muito melhor permanecer confuso do que ser precipitado. Não permita que o corpo exprima sua vontade de agredir. Você ganhará tempo se parar imediatamente de envolver outras pessoas na sua dor. É claro que só isso não vai eliminar as emoções que estão na superfície. Mesmo que esteja dominado por uma leve irritação, afaste logo as justificativas e examine a própria raiva. Do contrário, continuará acreditando que é assim que você realmente se sente. Observar cuidadosamente a raiva para ver seu coração através dela é aprender como usar a força mais neutralizadora que existe.

CAPÍTULO 3

Os pensamentos

Sentindo-se bem com você mesmo

Costumamos concordar, pelo menos teoricamente, com a idéia de que a felicidade é um estado da mente. Entretanto, sempre falhamos em vê-la dessa maneira. Temos medo de pensar que, se a felicidade é um estado interior, somos os únicos responsáveis por ela. E não podemos culpar ninguém por nossa infelicidade, a não ser nós mesmos.

Toda crítica se volta contra o crítico. Em termos bíblicos: "Não julgue para não ser julgado, a mesma medida que usar para os outros será usada para você." É difícil aceitar esse antigo ensinamento, presente em todas as grandes religiões, porque ele parece ameaçar o nosso valor. Acreditamos que melhoramos nossa imagem quando damos um jeito de fazer com que o outro não seja bem-visto. Para nos sentirmos superiores, agimos para que as pessoas que nos cercam se sintam inferiores. Portanto, é fundamental para nossa imagem pensarmos que os julgamentos que fazemos podem separar-se de nós e se agregar à pessoa que temos em vista.

Talvez conseguíssemos nos livrar de pensamentos depreciativos se fôssemos capazes de mudar nossas opiniões sobre as pessoas depois que as condenamos. No entanto, nem isso fazemos porque também acreditamos que, continuando a criticá-las, confirmamos o conceito que temos sobre nós mesmos. Se, de repente, deixamos de censurar e passamos a reconhecer a inocência da outra pessoa, aonde isso nos leva? Na verdade, essa é a questão.

Normalmente, não nos permitimos sequer duvidar de que

temos sido prejudicados e tratados de maneira injusta. Podemos citar todos os responsáveis, o que fizeram ou o que deveriam ter feito. Se as normas de comportamento que escolhemos adotar funcionam com mais facilidade para nós do que para os outros, retificamos isso de vez em quando, apontando a arma da desaprovação para nós mesmos. É o que chamamos de *admitir nossas faltas*, e temos o cuidado de reconhecê-las diante de um erro maior praticado por alguém. Em nosso confuso modo de pensar, o que importa é *quem* criticamos e não *se* criticamos.

Os julgamentos são a principal causa de infelicidade. Não importa se o alvo somos nós mesmos, os outros, um objeto ou uma situação, acabamos nos infligindo um dano mental.

E, quanto mais desejamos nos distanciar das acusações que fazemos, o fato de ainda acreditarmos nelas as torna um motivo constante de irritação. Essa situação não melhora nem mesmo quando demonstramos nossa desaprovação. Pelo contrário, essa vazão de julgamentos provoca uma sensação enervante de que o problema agora está fora do nosso controle porque o disseminamos para outras mentes e atraímos mais gente para nossa infelicidade.

De fato, ao verbalizarmos as críticas, as *colocamos para fora*, mas não é verdade que elas estejam menos interiorizadas só porque agora estão expostas. Quando muito, foram enfatizadas, fortalecidas e ficarão conosco por mais tempo. Além da condenação, existe a tristeza que sempre acompanha a traição. Atacamos, ainda que suavemente, outro ser humano, alguém que, assim como nós, se esforçou bastante.

É possível ser aberto e honesto sem agredir. Também podemos esmurrar uma cama, gritar ao vento, estraçalhar catálogos de telefone, tomar uma chuveirada, passear por um local reconfortante ou fazer qualquer atividade física que relaxe as tensões do corpo e clareie os sentimentos e, assim, lidar com as emoções dentro de nós mesmos. Atitudes como essas são inofensivas porque não complicam o problema – elas não provocam outras pessoas nem aumentam o número de envolvidos na questão.

O perdão e a cura interior

A regra é: *Não externe a crítica presente em seus pensamentos – remova sua origem e conserte rapidamente o dano causado à sua mente.*

Essa diretriz não envolve perdas. Em primeiro lugar, até que realmente manifestemos nossa desaprovação a alguém, temos apenas a ilusão de que ela não faz parte de nós porque afeta outra pessoa. Em segundo lugar, queremos agir rapidamente pelo simples fato de que, quanto mais insistimos na fraqueza do outro, mais infectamos nossa mente com essa forma de infelicidade.

Mas a parte mais difícil dessa norma é "remova sua origem". Não porque o processo seja complicado, mas porque o hábito de culpar é antigo e profundamente enraizado. Isso fica óbvio quando *a origem* é um dano causado na infância. Não é possível alcançar o tipo de felicidade de que estamos falando sem que vejamos nossos pais como *completamente* inocentes. Existem outros obstáculos à felicidade, mas esse particularmente é universal.

Gayle e eu observamos uma amiga se esforçar durante meses até começar a fazer algum progresso para perdoar seu pai, morto há anos. Ao completar 40 anos, ela percebeu que a amargura que sentia em relação à sua infância a mantinha presa a relacionamentos curtos e tumultuados. Foi nesse momento que parou de olhar para os homens sob a perspectiva do passado e de ver cada atitude deles através das lentes do comportamento de seu pai.

Nossa amiga desenvolveu um programa diário para livrar-se do problema. Ela passou a anotar em um caderno qualquer sintoma de raiva (frustração, crítica, irritação, impaciência), porque essa era a emoção mais forte que sentia em relação ao pai. No fim do dia, lia as observações e buscava a origem de cada uma no passado mais distante de que pudesse se recordar. Para fazer isso, ela se perguntava: "Que lembrança mais recente essa emoção me traz? De que mais me lembro antes disso? E ainda antes disso?" Assim, pôde distinguir o padrão de comportamento que cercava a história da sua raiva.

Ela percebeu que havia sido vítima do pai quando era criança, mas, na fase adulta, ela mesma tinha escolhido se colocar nesse papel. Observou também que as situações em que mais se sentira prejudicada foram também aquelas em que se comportou da maneira mais destrutiva. Resolveu, então, pedir ajuda ao pai, que tinha morrido há 18 anos. "Aceitei com muita fé que o espírito de meu pai estava junto de Deus – e portanto sempre presente – e pedi mentalmente que me apoiasse sempre que eu precisasse de um pouco de coragem", ela nos explicou.

Aos poucos, nossa amiga começou a sentir a presença suave e confortadora do pai e reparou que ele já não era mais a figura insuportável e emocionalmente agressiva da qual se lembrava. Depois de passar seis ou sete meses registrando as emoções relacionadas à raiva, buscando o apoio espiritual do pai e vivendo agradáveis mudanças de ânimo, conseguiu, pela primeira vez na vida, construir um novo, e dessa vez duradouro, relacionamento.

Devemos remover a fonte de qualquer pensamento crítico antes que o estrago que ele causou à mente possa ser reparado. Que fonte é essa, então? Como podemos ver no caso da nossa amiga, se a fonte tivesse sido externa – a infância, o pai ou os namorados –, sua situação seria realmente difícil. Afinal, sua infância estava perdida no tempo e não podia ser revivida, senão no plano da fantasia; o pai havia morrido e os namorados estavam *programados* de uma determinada forma que não podia ser alterada. Mas tudo isso era irrelevante. Apesar do dano ter começado na infância, ele permaneceu por causa da maneira que ela escolheu para *continuar* usando a mente no presente. E isso ela podia mudar.

Uma ocasião, na época do Natal, Gayle e eu saímos de uma loja com os braços cheios de sacolas e seguimos em direção ao carro para guardá-las. Quando abri uma das portas, ouvi uma voz furiosa gritar: "Cuidado aí, este carro é novo!" A porta que eu tinha aberto parou a milímetros do espelho lateral do automóvel estacionado ao lado do nosso. Não havia encostado nele, mas tinha chegado muito perto, pelo menos na opinião do motorista, que me olhava fixamente. Enquanto dirigia de volta para casa, fiquei surpreso ao notar como era difícil para mim deixar de pensar naquele incidente.

Será que essa era uma situação que demandava perdão? Sim, mas não da maneira como costumamos pensar nele. Esse é um conceito incompreendido, temível e que vem sendo empregado de maneira imprópria. Eu me pergunto se ele chega a ter alguma utilidade para a maioria das pessoas. Talvez a tolerância e a compaixão sejam idéias mais adequadas, a não ser que estejamos tentando lidar com uma velha amargura ou uma traição profunda.

O perdão é freqüentemente um tipo de arrogância. Olhamos com pena para aqueles que *precisam* dele. Usado deste modo, trata-se de mera agressão. Presumimos também que determinado comportamento deve acompanhá-lo. Se perdoarmos alguém de quem não gostamos, vamos ter que passar mais tempo com a pessoa. Não teremos coragem de demitir um funcionário incompetente ou seremos obrigados a pagar qualquer valor de pensão alimentícia que nosso ex pleiteie.

> *Não é preciso fazer nada para perdoar. É uma atitude do coração, não do corpo.*

O verdadeiro perdão não contém sequer um traço da suposta necessidade de forçar a mente a se comportar de determinada maneira, de reinterpretar de forma positiva os acontecimentos ou de chegar a conclusões desonestas.

Perdoar é rejeitar todos os presentes contaminados que nosso ego nos transmitiu. É desistir de um ponto de vista estreito e aceitar uma perspectiva mais ampla e relaxada. É parar de abrigar a infelicidade. Visto assim, o perdão é um processo repousante.

Uma premissa inteiramente verdadeira está por trás dos motivos pelos quais o *deixa pra lá*, ou o perdão, funciona. A mente é, por sua própria natureza, feliz, e isso só muda quando ela se dispõe ao contrário. No momento em que abandonamos o uso artificial que fazemos dela, somos capazes de ver a felicidade ocupando o lugar que lhe pertence, como o sol saindo de trás das nuvens.

Às vezes somos incapazes de perdoar porque na realidade não desejamos fazê-lo. É simples assim. Por que algumas pessoas perdoam os assassinos de seus familiares? Por que outras perdoam o marido ou a esposa pela negligência que causou a morte de um filho querido? Por que uma mãe ou um pai perdoa um filho que cometeu um crime bárbaro? Apenas porque assim desejam. Entretanto, algumas transgressões muito menores do que essas podem ser bem difíceis de relevar. Precisamos desesperadamente provar a culpa do outro. Isso nos faz sentir inocentes, e sempre que externamos a censura adquirimos uma sensação de poder e superioridade. Mas nada disso tem mais utilidade para nós quando vemos o que essa atitude causa à mente, à saúde e aos relacionamentos.

"Honestidade"

O verdadeiro perdão jamais é desonesto. Não é o exercício fútil de uma trapaça cor-de-rosa que fazemos com nós mesmos. Ao contrário, é o reconhecimento sereno de que, debaixo do ego, somos basicamente os mesmos. Vivemos, porém, em uma época em que o conceito da própria honestidade é empregado de forma totalmente inadequada.

O ego – aquela parte de nós que alguns denominam lado da sombra, demônio interior ou pequeno eu – requer total lealdade.

Ainda que nossas preferências e preconceitos mudem freqüentemente e se baseiem em um ponto de vista deploravelmente estreito, se quisermos respeitar suas condições devemos ser *honestos*, isto é, fiéis a esses sentimentos. Como diz o ditado, temos que "honrar a nós mesmos".

Ao longo do dia, costumam perguntar nossa opinião sobre diversas coisas. Será que essa blusa vermelha combina com a saia azul? E o namorado novo da fulana é um bom partido? Viu como emagreci com essa nova dieta? Talvez alguém nos conte uma história, ou comente sobre o tempo, ou pergunte: "Como vai você?" O ideal de honestidade do ego determina que sejamos *verdadeiros*, embora possamos encobrir nossos pequenos crimes falando de uma forma amena. Geralmente, quando as pessoas fazem perguntas desse tipo, elas não buscam nada mais do que aceitação e admiração. Sabendo disso em nossos corações, responder de forma direta é *verdadeiramente* desonesto.

Gayle cozinha muito melhor do que eu, mas cada um de nós é especialista em um ou outro prato. Já estávamos casados há 17 anos quando percebemos que nos magoamos muitas e muitas vezes por pensar que tínhamos que responder *honestamente* à seguinte pergunta: "O que você achou da comida?"

– Muito insosso. Precisa de pimenta e uma pitada de cominho.

– É, mas não gosto de pôr muito tempero em tudo, como você. Além disso, as crianças também vão comer isto.

– Então por que me perguntou, se não queria minha opinião?

– Só queria saber se, para você, já estava no ponto.

– Depende do que você chama de *ponto*.

Depois de noites e noites desses diálogos sem sentido, nos sentamos para conversar e resolvemos acabar com esse pomo de discórdia de uma vez por todas. Estabelecemos uma regra: a não ser que fosse impossível controlar, passaríamos a dizer que o prato estava simplesmente maravilhoso e, mesmo que submetidos a um minucioso interrogatório, não voltaríamos atrás. Esperávamos que o plano eliminasse aquela dificuldade, mas acabou criando uma brincadeira que nos delicia até hoje.

Sempre temos a opção de não consultar o ego – a menos, naturalmente, que nosso interlocutor espere isso de nós. Por exemplo, se seu parceiro ou parceira lhe pergunta se você gostaria de viver naquela casa que está à venda, e se você acredita que não será feliz ali, então é claro que deve falar a verdade para não pôr em risco a paz de sua vida doméstica no futuro.

Muitas vezes escolhemos não consultar o ego quando tratamos com alguém muito jovem. Sabemos que não é necessário dar às crianças nossa verdadeira opinião sobre seus primeiros desenhos ou desaprovar suas tentativas desajeitadas de concluir uma nova tarefa. Em vez disso, nos dirigimos a elas com bondade e alegria. E é nosso privilégio agir do mesmo modo com os adultos. É sempre possível ver qualquer coisa – um novo prédio na cidade, o estilo de vida de algum amigo – com a serenidade do nosso coração, e não com as lentes da nossa história pessoal ou de irritações momentâneas.

Há um pouco de realismo e de saúde mental, e certamente de felicidade, no fato de olharmos para o mundo do mesmo jeito como nos permitimos olhar para uma criança. Qualquer criança pode ser vista como irritante, e muitos adultos escolhem vê-las por esse prisma. Mas a maioria não faz isso. Percebemos a inocência em um bebê de um ano e meio ainda que ele diga não a tudo. Um neném permanece doce e absolutamente puro aos nossos olhos até mesmo quando trocamos suas fraldas. Se ao menos pudéssemos congelar essa nossa forma de olhar e voltá-la para o mundo, não precisaríamos fazer nada mais para sermos constante e profundamente felizes.

O modo pretensamente honesto que temos de observar invade cada hora que passamos acordados e pode facilmente estabelecer o tom de uma vida inteira. É surpreendente como algumas pessoas se tornam amargas. As tarefas matinais, o trabalho, a volta para casa, os filhos, os passatempos, tudo isso pode ser visto com compreensão e otimismo ou sob a carrancuda, mas aparentemente virtuosa, luz da *honestidade*. Um olhar sereno torna o mundo em que vivemos mais tranqüilo.

Mergulhados na camada superficial das nossas emoções, somos totalmente capazes de sentir a indiferença, o egoísmo, a insensibilidade ou a perversão de alguém. Podemos perceber, sem errar, as características do ego de uma pessoa. Mas para onde nos leva essa certeza, a não ser para a severidade e o isolamento? Sem dúvida, todos temos egos. Contudo, nosso lado sombrio não é, muitas vezes, melhor do que o das outras pessoas. Até nisso tendemos a ser iguais.

Cada um de nós é muito mais do que um simples ego. A prova de uma disposição compassiva mais elevada revela-se quando o pensamento está quieto e sereno. Um dos livros mais antigos do mundo, o *I Ching*, destaca que "a montanha é serena". Ao vermos a nós mesmos e aos outros da privilegiada posição da nossa mente tranqüila, constatamos como a negatividade é mesmo pequena, uma mera sombra encobrindo o sol nascente do nosso olhar.

Sem medo do presente

A insatisfação, a ansiedade e uma tagarelice mental sem sentido, tão comuns na vida da maioria das pessoas, decorrem em grande parte da preocupação com o passado e com o futuro. Uma outra palavra para paz é *agora*. O medo do que vamos encontrar no presente nos impede de buscar uma base mais sólida e uma visão mais ampla. Crescendo em uma cultura que evita o presente, concluímos naturalmente que deve haver um bom motivo para agirmos assim. Acompanhando as velhas desconfianças encontram-se os fatores desagradáveis que, em geral, nos fazem voltar a atenção para o momento atual, como um choque emocional ou uma dor física. Para a maioria das pessoas, o presente não tem uma boa folha de serviços prestados.

O medo do agora, nossa relutância a parar e ver, sempre nos afasta das oportunidades. Mentalmente, temos o hábito de oscilar entre os estados de antecipação e de desapontamento, tal como ondas que quebram contra a costa e depois voltam sobre si mesmas. Quando agimos de verdade, adotamos a atitude de vítima ou então perseguimos um objetivo que, alcançado, não tem um significado importante nem proporciona satisfação duradoura. Primeiro avançamos sobre algo, depois recuamos. Esse comportamento só varia na forma, o padrão básico permanece imutável. Preferimos qualquer coisa, seja o que for, a nos fixar mentalmente no momento que estamos vivendo.

Mesmo que tenhamos tropeçado no presente por toda a nossa vida, ainda não o conhecemos inteiramente. Sabemos descrevê-lo em palavras, mas não nos curvamos para tomar essa realidade nas mãos e contemplar seu magnífico esplendor. Talvez seja porque sentimos que, agindo assim, nunca mais seremos os mesmos. Contudo, o fato de que o presente é real é completamente inofensivo.

Nossa vida entra em contato conosco no ponto conhecido como agora. Não podemos nos conectar com o que já aconteceu ou com o que ainda vai ocorrer. O *lugar* em que rompemos com o tempo e caímos na realidade é o presente. Enquanto nossos pensamentos estiverem perdidos nas lembranças do passado e em planos futuros, não estaremos vivendo, e sim nos aproximando da morte. Isso não é pecado, mas é, sem dúvida, um modo infeliz de agir. Nosso tempo de vida é formado por uma sucessão contínua de agoras e sua qualidade é determinada pela forma que respondemos à realidade do presente. A maioria de nós, porém, não consegue enxergar nem mesmo um único instante.

CAPÍTULO 4

O momento de parar

O dia segmentado

O mundo é como um cão que guarda um osso sem carne. Primeiro ele consome as idéias, depois preserva o vazio. A mais negligenciada necessidade nesta era de opiniões discordantes é a da experiência direta. Quando as pessoas vivenciam um fato, elas deixam de discutir sobre o assunto porque já não precisam mais se convencer de que aquilo é verdadeiro. Contudo, antes que essa simples mudança de atitude possa acontecer, elas devem parar e retroceder o bastante para ver claramente o que lhes ocorreu.

Trabalhei durante muitos anos com pessoas em crise – pais desgostosos, mulheres agressoras e agredidas, vítimas de estupro e suicidas em potencial. Observei que até mesmo os mais desesperados muitas vezes avançam obstinadamente com uma atitude que, no íntimo, sabem que não vai funcionar. Uma espécie de medo cego assume o comando e eles se convencem de que não adianta tentar mais nada. Então agarram-se ao fracasso até à morte. Isso significa que perderam o instinto natural de saber o momento de parar e recobrar a perspectiva. Quando comecei a trabalhar com clientes em circunstâncias menos dramáticas, percebi que prevalecia a mesma dinâmica, ainda que os problemas não fossem tão graves.

Encontramos um bom exemplo disso neste texto sobre o Ursinho Puff: "Veja o Ursinho Puff descendo as escadas – tum, tum, tum, quicando e batendo com a parte de trás da cabeça. Ele só sabe descer as escadas desse jeito, embora às vezes imagine que exista outra maneira. Se ao menos conseguisse parar de quicar um instante para pensar no assunto..."

Muitas vezes – muito mais do que admitimos à primeira vista – estamos tão enredados nos acontecimentos do dia-a-dia que somente uma interrupção intencional para acalmar os pensamentos nos permite expandir a percepção o bastante para compreendermos todos os modos pelos quais estamos limitando nossas opções. Para resolver os pequenos problemas da vida, e também a maioria dos grandes, precisamos primeiro ver o que acontece quando paramos de quicar.

> A dificuldade quase nunca está naquilo a que atribuímos culpa, e nossa incapacidade de parar e olhar ao redor nos impede de ver a solução.

Observe que o dia vem em segmentos, com pequenos começos e fins para cada um deles. Note também que a mente passa a ter um novo foco a cada mudança de atividade corporal. Isso é verdade, quer terminemos ou não uma tarefa. O sentido de perfeição varia segundo a expectativa. Alcançando ou não o sucesso em nossos esforços, o dia prossegue desse jeito, como uma cadeia de acontecimentos, e não como o fluir contínuo das águas de um rio.

A mente faz uma breve transição ou ajuste quando passa de uma atividade a outra – do sono para o despertar, da arrumação da cama para o ato de se vestir, do ato de se vestir para o café da manhã e assim por diante. Repare que existe uma parada *natural* no instante em que a mente muda a engrenagem. É natural porque, se feita de maneira feliz, facilita e suaviza as mudanças, além de proporcionar outros benefícios mais agradáveis e mais duradouros.

Para tirar proveito desses períodos de transição, basta percebê-los e, depois, parar e acalmar a mente por alguns segundos. Costuma ser mais fácil aquietar a mente quando o corpo não está em movimento. Podemos ficar quietos silenciosamente onde estivermos ou talvez nos sentarmos por um momento de olhos fechados. Uns dois minutos são suficientes.

Desejamos ter a sensação de que a mente está parando e se tranqüilizando, exatamente como ocorre quando chegamos a um cruzamento e reduzimos a marcha do carro por um instante. Deixamos a mente vagar leve e feliz. Evitamos nos fixar em algum pensamento. Muitas pessoas gostam de ouvir calmamente os sons ao redor. Algumas fazem isso tomando consciência da respiração. Outras preferem repetir palavras de tranqüilidade como "minha mente está silenciosa, agora estou sereno". Qualquer maneira de dar uma parada é boa, desde que isso não signifique um fardo ou uma obrigação.

O delicado trabalho da felicidade

Já lhe aconteceu, como já aconteceu comigo, pegar distraidamente a chave errada e tentar enfiá-la na ignição do carro ou na porta de casa? Nessa hora não estávamos pensando. Ou, mais precisamente, tínhamos o pensamento em outra coisa, não no que fazíamos. Embora soubéssemos qual era a chave certa, estávamos agindo automaticamente. A analogia é óbvia: todos temos a chave certa, mas poucos a usam da forma adequada. No caso da felicidade, a chave é nosso foco mental pouco desenvolvido.

Este é um livro sobre a chave para a felicidade, e não sobre como ganhar mais dinheiro, ter uma saúde de ferro, conseguir os amigos certos, desenvolver poderes mentais, criar filhos exemplares ou alcançar todos os outros ideais que o mundo valoriza mais que o simples e profundo desfrutar do dia de hoje. Para isso, precisamos remar o barco suavemente rio acima. Se mantivermos esse ritmo e essa direção, é certo que seremos felizes. Não há dúvida de que existe um modo de caminhar em paz pelo mundo, mas as tentativas de mudar a natureza do próprio mundo não são úteis.

Se remarmos calmamente, até mesmo esse exercício se tornará um prazer. No entanto, não podemos parar. O tédio e o estresse são dispensáveis, ambos só atrapalham. E mais: se não houver concentração, nada que valha a pena vai nos acontecer. A impossibilidade de executar a tarefa diante de nós é que torna a maior parte do trabalho tão árida. E isso também se aplica ao empenho necessário para sermos felizes.

Insistimos em fazer tudo de uma vez, sem nunca deixar para depois. Pensamos que, de certo modo, com uma leitura superficial de um texto sagrado, com uma boa meditação, com a compreensão de alguns conceitos metafísicos ou com o domínio de uma ou duas práticas espirituais, nossa vida vai se transformar e finalmente teremos sucesso. Chegamos até a acreditar que isso só pode acontecer dessa maneira, isto é, acreditamos em mágica. Naturalmente, os primeiros esforços nos deixam cansados e derrotados, e logo depois não queremos mais nada daquilo. E tudo porque esperamos muito de nós mesmos.

O lema do mundo é "Faça pouco e espere muito", enquanto a chave do verdadeiro progresso é "Trabalhe muito, mas espere pouco". Não devemos pensar que receberemos algo simplesmente porque demos alguma coisa – o ato de dar já é o que recebemos de bom. As expectativas só retardam a conquista do objetivo, pois elas mudam o foco dos nossos esforços. Esquecemos o quanto e como trabalhamos para ser infelizes e como foi doloroso aprender as regras da infelicidade. Podemos mudar esse rumo rapidamente, mas, ainda assim, isso deve ser feito passo a passo.

Chega de perguntas inúteis

Uma resposta verdadeira é sempre simples, óbvia, até mesmo banal. A grande dificuldade decorre da nossa relutância em aprender e vivenciar o que vemos. Queremos saber antecipadamente os detalhes do futuro. Ansiamos por um balanço detalhado dos resultados antes de começarmos. Como isso é impossível, nunca damos o primeiro passo. "Se você quer chegar lá, comece" é uma regra tão elementar que a maioria das pessoas tem imensa dificuldade em aprendê-la.

Eu tinha uns vinte e poucos anos quando resolvi abrir uma imobiliária. Um ou dois anos depois, eu e meu sócio chegamos à conclusão de que não estávamos progredindo e precisávamos encontrar alguém para investir na nossa expansão. Fomos procurar um grande empresário que, além de dinheiro, tinha um bom coração. Ele nos recebeu, ouviu tudo que tínhamos a dizer e respondeu de maneira clara e simples: "Vocês são dois jovens inteligentes e criativos, mas não vou investir porque sinto que ainda não aprenderam uma regra básica: *não gaste o dinheiro que você não tem.*"

Eu e meu sócio concluímos que ele era frio e calculista e fomos procurar outro investidor. Encontramos e, para resumir, acabamos afundando num buraco financeiro do qual só saímos depois de cinco anos. *Não gaste o dinheiro que você não tem* era muito simples para assimilarmos.

Muitas vezes pegamos algo óbvio e fazemos perguntas intermináveis sobre sua aplicação. O que significa *ter* dinheiro? É ter dinheiro no banco? Ter dinheiro a receber? Devemos estar sempre com dinheiro vivo e jamais usar o cartão de crédito? É errado emprestar dinheiro aos outros? E assim por diante. Nossa parte infeliz não se contentará com uma resposta simples – vai questioná-la até à morte para que possa prosseguir com o mesmo padrão que está causando o problema. Somente na quietude do nosso coração somos capazes de receber aquilo que já conhecemos e seguir em frente.

Em um patamar superior ao dessa prática, encontramos o conhecido ditado "a gente colhe o que semeia" ou "é dando que se recebe". Em outras palavras, para ficar em paz com você mesmo, fique em paz com os outros. Para se sentir amado, ame. Para ser feliz, faça o outro feliz. Todos esses conceitos são muito simples e inspiradores. No entanto, apenas a mente livre de agitação consegue entendê-los, aceitá-los e praticá-los. Do contrário, a pessoa tende a atolar-se em mil considerações: "Isso significa que tenho que concordar com quem está tentando me passar pra trás?", "Devo dizer que não estou com raiva quando estou?", "Se eu der meus bens materiais, vou conseguir mais?", "E os meus direitos, devo abrir mão deles também?". O objetivo dessas perguntas *não* é pôr as respostas em ação. É por isso que questionamentos desse tipo sempre provocam frustração e fracasso.

Temos que deixar de fazer perguntas. Precisamos dar um salto confiante e romper com velhos hábitos que nos impedem de olhar a vida de maneira simples. Não devemos nos preocupar.

Como Gayle e eu discutimos detalhadamente em *Não leve a vida tão a sério*, a preocupação não tem um sentido prático. É simplesmente uma forma de adiar as coisas. Não é nada intuitiva e não nos livra de cometer erros. Na verdade, ela encobre a esperança, dispersa a concentração e nos predispõe a falhar ainda mais.

É claro que ninguém pula de um extremo ao outro. Eliminar o medo não significa ser imprudente. Acabar com a preocupação não é o mesmo que se tornar indiferente. A ausência de medo no presente leva naturalmente à falta de medo no futuro. Quando estamos em paz, esse sentimento acompanha os efeitos das nossas escolhas. Usamos uma resposta positiva de forma favorável.

O ego e o coração

Para vivermos felizes, precisamos identificar claramente a diferença entre o que chamamos de *coração* e de *ego*. O coração é nosso nível mental mais profundo, o centro da quietude e da paz. É a mente pura e inteira, a morada da sabedoria inata. Desse centro de serenidade, é possível apreciar qualquer coisa.

O coração também é nosso depósito de gentileza e bondade. Por isso, quando agimos sob sua influência, não prejudicamos nem a nós nem aos outros. Dada a sua capacidade de incluir e unir, ele nos permite sentir não só amor mas também serenidade, que é uma parte do amor. Com a prática, passamos a perceber quando nossas sensações se originam desse lugar de paz.

Contrapondo-se à doçura e aos suaves anseios do coração, encontramos as preferências conflituosas e agitadas do ego. Emprego o termo *ego* mais no sentido oriental do que no freudiano. É como se usa normalmente na conversa diária. Dizer que alguém tem um *grande ego* significa que esse indivíduo acredita ser diferente do resto dos mortais.

É difícil relacionar-se com quem apresenta um *problema de ego*, e sua influência sobre nós pode ser perturbadora. As pessoas com grandes egos assumem, de certo modo, uma identidade falsa e doentia. Não são elas mesmas. Não estão sendo iguais, normais, comuns, reais.

Como o "amiguinho imaginário" das crianças, o ego pode dar a impressão de que é real e autônomo. Entretanto, essa identidade fantasiosa não interfere em nossos sentimentos mais profundos e, portanto, é um aspecto nada confiável de nós mesmos para ser escolhido como guia. Enquanto ele nos motivar, seremos emocionalmente incoerentes e infelizes.

Rastreando e unificando a mente

Nem todos os pensamentos que atravessam a mente refletem nossa verdadeira opinião. Nem toda emoção que passa pelo corpo se origina de um profundo sentido do eu. Assim como inventar um amigo imaginário não dá a uma criança um companheiro real, *ser você mesmo*, se isso significa agir de acordo com seu ego altamente instável, não vai colocá-lo em contato com seus verdadeiros sentimentos. Não existe um eu coerente no ego.

Há muitos exemplos de estímulos que levam o corpo a sentir emoções inadequadas: uma sombra nos assusta, um tumulto nos faz recuar, um dia nublado nos deprime, um bebê chorando nos incomoda. Se tudo isso parasse por aí, talvez não houvesse uma perda real de felicidade. Contudo, sempre levamos a emoção para o coração.

Por exemplo, quando estamos em uma sala de espera, pegamos uma revista e lemos um artigo sobre um assunto pelo qual não tínhamos o menor interesse segundos atrás. De repente, ficamos furiosos com os pontos levantados no texto. Mesmo sem perceber, acabamos carregando essa irritação conosco e, assim, afetamos outras vidas.

Vivenciamos algo. Sentimos uma emoção. Tudo isso é simples. E até certo ponto inevitável. Embora possamos impedir o que acontece em seguida, ficamos relembrando a experiência e continuamos a alimentar o fogo emocional – mesmo que essa emoção seja incompatível com a nova situação na qual nos encontramos. Uma grande porcentagem da nossa atividade mental é gasta revendo o que aconteceu entre nós e outra pessoa. Mas damos muito pouca atenção aos relacionamentos que estão ao nosso alcance. Até mesmo quem está agora diante de nós é muito mais lembrado do que visto.

Quando recordamos uma conversa que gerou uma irritação ou um constrangimento, estamos lidando exclusivamente com o pensamento. Não somos vítimas do passado realmente. O passado já era. Ele só é capaz de desviar nosso estado mental do presente quando se mantém como uma lembrança perturbadora.

Tudo aquilo que suaviza um pensamento sobre o passado, qualquer coisa que remove o elemento que tira nossa paz é suficiente para proteger a integridade mental. Para eliminar essa força são necessárias pelo menos duas etapas.

Na primeira fase, precisamos tomar consciência da linha de

pensamento que está nos prejudicando. Muitas vezes é difícil fazer isso, pois ela está intimamente ligada a justificativas e ao fato de nos vermos como vítimas. Na segunda fase, devemos parar de seguir aquela linha de raciocínio. A única maneira sincera de atingir esse objetivo é duvidar da proposição do pensamento. Se acreditamos em algo, mas nos recusamos a pensar sobre o assunto, essa crença permanecerá agindo na parte da mente que não observamos. Ela continuará afetando nosso humor e nosso comportamento, apenas não teremos consciência da sua origem. Somos influenciados por qualquer coisa em que acreditamos profundamente, não importa o quanto ela possa parecer insensata quando considerada conscientemente.

Como indivíduos, possuímos padrões pessoais de crenças, embora muita gente não saiba que padrões são esses. Admitimos que a mente *é como é*, e não podemos fugir disso. Trata-se apenas da casa em que moramos, mas infelizmente ela foi projetada por outra pessoa. Mesmo que os cômodos sejam apertados, sem ventilação e mal distribuídos, tudo isso deve ser mantido sem questionamentos.

Acreditando que nossos atributos mentais são preestabelecidos, não nos damos ao trabalho de conhecê-los. Mas pensar guiando-se por uma mente inexplorada é tão perigoso quanto caminhar em um campo minado ou atravessar uma rua movimentada com os olhos vendados. Jamais sabemos que emoções e impulsos estão prestes a nos atingir a qualquer momento. Apenas para exemplificar: tente prever como será seu humor daqui a cinco minutos.

Exageramos em nossas reações e não sabemos por quê. Descobrimos que resvalamos para sentimentos como irritação, depressão, ressentimento ou tristeza e não temos a menor pista do caminho mental que nos levou a isso. Algumas vezes os pensamentos nos fortalecem e nos confortam, em outros momentos nos enervam. Ficamos divididos entre a felicidade e a infelicidade e alternamos as duas com tanta freqüência que acabamos confusos quanto à sensação da verdadeira felicidade e cegos em relação aos assuntos que dominam nossos pensamentos, ainda que estes determinem o tom do dia.

Se desejamos ser livres, devemos aprender a rastrear a mente como faríamos com um animal desconhecido. Temos que conhecer seu habitat, os pontos de parada para os quais se dirige nos momentos de perigo e também os lugares de descanso e alimentação que ele ronda costumeiramente.

Um hábito muito eficaz é parar sempre que percebermos um estresse ou um conflito interior. Ao voltar a mente para o presente, muitas vezes quebramos a ligação com os padrões do passado. É claro que isso depende das nossas intenções. Às vezes é essencial dar um passo atrás, mas devemos recuar para a tranqüilidade, caso contrário muito pouco vai mudar.

Sempre que lidamos com a mente, tendemos a analisá-la e a chegar a conclusões sobre as mudanças de que ela precisa. Ao fazer esse tipo de julgamento, nós a estamos criticando com *nossa própria mente*. Assim, tudo o que conseguimos é aumentar a divisão. Podemos ajudar a mente aumentando sua sanidade, jamais atacando sua insanidade. É importante não deixar crescer a sensação de estar travando uma batalha consigo mesmo.

Não estamos tentando mudar a mente, mas observando-a cuidadosamente para aumentar o conhecimento que temos do seu sistema de crenças. É fundamental não estabelecer o que deve ou não estar ali. Se você já possui opiniões a esse respeito, procure deixá-las de lado durante os períodos em que estiver observando sua mente. Antes de começar, tente dizer a si mesmo: "Não estou decidindo o que é bom ou ruim. Estou olhando para meus pensamentos como se os estivesse vendo pela primeira vez."

A observação das crenças apresenta uma poderosa força corretiva. O observador (o coração, ou a mente serena) penetra no que está sendo examinado (o ego, ou mente perturbada) e causa uma transformação da mesma maneira que a luz que atravessa o vão das cortinas modifica uma sala que estava imersa na escuridão. Não se pode forçar essa experiência, mas, com um pouco de prática, começamos a sentir uma sensação de paz junto com essas pequenas pausas silenciosas nas quais o conteúdo presente na mente é calmamente observado.

Não podemos destruir nossas opiniões básicas, não importa o quanto sejam doentias. Não temos condições de melhorar aquela parte de nós que se chama ego – tudo o que podemos fazer é abandoná-la. Aos poucos, aprendemos a não confiar nela e a abrir mão da sua orientação. Esse é um processo gradativo de iluminação, ou de aumento da percepção, e não de conflito interno.

Tomando o alcoolismo como exemplo, constatamos o mesmo processo. O alcoólatra precisa, em primeiro lugar, reconhecer que é alcoólatra. Conhecendo e *admitindo* esse fato, ele se vê face a face com a devastação que isso provoca. Depois, começa a não confiar no impulso do ego para beber. Passa a duvidar de suas opiniões quanto às vantagens de se embriagar e, mais cedo ou mais tarde, o álcool deixa de ser uma tentação. Mas ele permanece se *recuperando* do alcoolismo porque entende que a opinião básica sobre o álcool ainda faz parte de seu ego.

CAPÍTULO 5

O momento de começar

Reagindo com serenidade

Você já hipnotizou uma galinha? Quando eu era criança, vivia parte do ano em uma fazenda. Naquele tempo as galinhas não eram domesticadas como são hoje em dia e tinham um quê de selvagem que me fascinava. Sempre que se planejava fazer galinha frita para o jantar, sabíamos que uma das penosas acabaria sem cabeça até o fim do dia. Mas isso não era tão trágico, pois a natureza das galinhas é tal que elas conseguem correr para lá e para cá sem cabeça, ao menos por um tempo.

Os galos também conseguiam nos surpreender. Aparentemente, só tinham três objetivos na vida: comer, fertilizar os ovos e partir para cima de qualquer coisa que se movesse. É claro que não se trata de objetivos incomuns. O que era extraordinário era a firme determinação dos galos em atingi-los. Vi um deles atacar um recolhedor de ovos, ser nocauteado por um balde, recobrar as forças, voltar a atacar imediatamente e continuar até que aquele homem perverso tivesse deixado o galinheiro.

Graças a Deus, nunca me deram a tarefa de brigar com os galos ou torcer o pescoço das galinhas, mas eu tinha permissão para hipnotizar tantas galinhas quantas desejasse. A parte mais difícil era capturá-las, porque, naquele tempo, elas conseguiam voar com bastante desenvoltura. Depois disso, o resto era fácil. Bastava comprimir o queixo da ave contra o solo e traçar uma linha reta na terra, com o dedo ou uma varinha, a partir do bico. A galinha ficava olhando para o traçado e, mesmo que eu a soltasse, a sua atenção estava tão fixada na linha que ela permanecia imóvel naquela posição como se alguém ainda a segurasse firmemente. Mas, no momento em que voltava a atenção para si mesma, ela percebia que estava livre e corria.

Nesse aspecto somos semelhantes às galinhas porque, enquanto estamos preocupados com o que está fora de nós, ficamos em uma prisão criada por nós mesmos. Contudo, ao voltar a percepção para aquilo que está em nosso interior, constatamos que estamos livres.

Se insistirmos em reagir ao mundo da maneira que temos feito, continuaremos sendo vítimas dele. A chave não está em lutar contra as próprias reações – essa é uma batalha sem fim. Em vez disso, precisamos notar que elas são uma escolha e que devemos preferir as que surgem do coração. Só então deixaremos de ser uma folha de papel que flutua por aí ao sabor de uma brisa qualquer.

Ter uma visão tranqüila do dia nos ajuda a não alimentar nossa tendência a agir de modo irrefletido. Observar as coisas com calma e honestidade leva a atitudes bem pensadas, assim como a uma espera paciente. Sem dúvida, uma das chaves da felicidade é permitir que nossa reação inicial seja serena.

A vida que levamos reflete a unidade ou a divisão da nossa vontade. Ou decidimos nossa vida ou ela decide por nós. A primeira opção significa força e esperança baseadas na habilidade de planejar o futuro com sabedoria. Na segunda opção há apenas a disseminação da impotência e da frustração. Com muita freqüência, o isolamento e o sofrimento físico predominam nos últimos meses ou anos de nossa existência. Eles surgem de mansinho, como a grande cortina final de uma peça que jamais chega a um desenlace. Como nenhuma decisão foi tomada, a vida apenas aconteceu. A solidão e a desorientação foram inevitáveis porque jamais se buscou uma alternativa verdadeira.

O poder de decidir

Se for possível tomar uma decisão sobre a vida, e realmente é, deve existir alguma coisa fora dela ou, pelo menos, fora da visão que temos dela normalmente. Se sua maneira de pensar é capaz de determinar o tipo de dia que está à sua frente, isso significa que *você* tem mais poder que ele. A mente que decide escolher encaminha-se gradativamente para esse domínio, que é mais do que um dia, mais até do que uma vida e certamente muito mais do que nossa porção diária de problemas.

A capacidade de decidir é simplesmente a capacidade de dar atenção. Quer percebamos ou não, *escolhemos* olhar para o que prende nossa atenção e decidimos virar as costas para qualquer outra coisa. Esse foco mental talvez seja a força mais poderosa da Terra. Isso foi claramente demonstrado na virada do milênio e depois dos ataques terroristas de 11 de setembro de 2001 em Nova York.

Na passagem de 1999 para 2000, a população mundial voltou a atenção para uma única idéia: "Vamos celebrar o novo milênio!" E os resultados foram além do que qualquer um pudesse imaginar. Embora milhões de pessoas tenham ficado aglomeradas durante horas nas ruas, apesar dos temores de um desastre mundial nos computadores, a despeito das profundas diferenças culturais e religiosas, independentemente do que diziam os diferentes calendários, vivenciamos o impossível – a paz na Terra por 24 horas.

Nos Estados Unidos, no momento em que aconteceu a tragédia impensável, destruindo símbolos nacionais e matando milhares de inocentes quase que instantaneamente, a nação voltou sua atenção para uma única idéia: "Queremos ajudar." Em poucos dias foram arrecadados dez milhões de dólares em donativos. Além disso, milhares de voluntários acorreram a Nova York. O país sentiu o que há muito tinha esquecido: que é uma família, que todos estão juntos e o que atinge uns afeta todos.

Somos o que percebemos e o modo como percebemos. Essa é

uma afirmação óbvia, mas não devemos subestimar nossa capacidade de fazer vista grossa ao óbvio.

Embora a mente exista, ela pode se imaginar como qualquer coisa e faz isso, por exemplo, nos sonhos e fantasias. A causa dessas ilusões, e um fator que as torna atrativas, é o julgamento inquestionável – a crítica, a comparação, a correção. Quando sentimos que estamos competindo com uma pessoa, acreditamos que estamos separados dela. Então, a divisão penetra na mente e começa a se fragmentar e a se projetar. Mas no instante em que a mente pára de avaliar e classificar, ela reassume sua função natural de totalidade ou amor.

Deixar que o dia determine nosso humor é uma decisão. A *indecisão* é uma escolha proposital para que a situação permaneça como está, para que haja mais versões daquilo que sempre existiu, para que nada de novo tenha início.

Estabelecer o tipo de dia que desejamos não nos dá poderes especiais sobre quem ainda não sabe o bastante para fazer isso também. Não podemos forçar as pessoas a concordar conosco à custa de censuras ou críticas. Se tentamos decidir contra certas circunstâncias do momento, vamos perder. Mas, se planejamos com paz e bondade um modo de superar o impacto que elas causam nas nossas emoções, seremos vitoriosos.

Ao escolher conscientemente a felicidade, abandonamos por completo o campo de batalha. Por que faríamos suposições sobre como as coisas deveriam ser ou como as pessoas deveriam agir se soubéssemos que uma grande esfera de paz circunda esses insignificantes campos de batalha? Tudo o que temos a fazer para penetrar nessa esfera é decidir que preferimos ser felizes a ter razão. Para que isso aconteça, a atração pela batalha deve primeiro dar lugar a um interesse maior pela paz. Quase todo mundo toma decisões em conflito, age em conflito e pensa que a vida deve ser assim. Os sentimentos confusos surgem da sensação de que possuímos mais de um eu. Esse parece ser o resultado inevitável da nossa história pessoal – como já tivemos muitas experiências conflitantes, achamos natural ficarmos divididos sobre quase todas as coisas.

Se fôssemos enumerar todas as decisões que tomamos – comprar o presente ou o carro *certos*, escolher o marido ou a mulher ideal, seguir uma dieta saudável, definir o tempo adequado para nos exercitar, saber quando interferir na vida dos filhos e quando deixar que aprendam sozinhos, etc. –, veríamos que elas são suficientes para criar um enorme conflito inconsciente para qualquer pessoa normal. Temos o hábito de achar *rapidamente* os fundamentos para tomar uma decisão e, então, agir. Depois, quando as conflituosas lições do passado começam a pressionar nossos pensamentos, passamos a nos preocupar com a atitude que acabamos de adotar. E tudo isso parece não só normal como também inevitável.

O que tem que ser feito hoje?

Nós nos sentamos à mesa da vida com um convidado desconhecido. Imaginamos que, se não o olharmos nem falarmos com ele, ficaremos protegidos da sua influência. Como nos recusamos a vê-lo, não percebemos que esse convidado joga veneno em cada migalhinha que comemos. Se tivéssemos que encará-lo de frente, ficaríamos horrorizados, pois veríamos a nós mesmos.

O poder não está no pensamento positivo, e sim no pensamento negativo – ele é uma fênix que mais uma vez renasce das cinzas. Somente se analisarmos nossos pensamentos mais fúteis, maldosos e constrangedores e observarmos os males que causaram, renasceremos com um coração puro. Esse processo geralmente é longo, desagradável e nos deixa com o sentimento de que estamos empenhados em nossa autodestruição. Mas, antes de almejar uma felicidade duradoura, devemos perceber as *conse-*

qüências de permanecermos inconscientes em relação aos nossos padrões de pensamento mais tenebrosos. Até acendermos esse fogo de purificação, a unidade com os demais, o bem-estar interior e a alegria de viver vão ir e vir como mágica.

Ajuste um despertador para uma hora qualquer e, quando ele tocar, pare e pergunte a si mesmo em que você estava pensando, qual era o rumo dos seus pensamentos – apenas pelos últimos dez minutos. Qualquer pessoa que faça isso duas ou três vezes durante um único dia será capaz de reconhecer como é profundo nosso hábito de permitir que a mente atue na escuridão. Então a única pergunta será: importa mesmo o que pensamos?

Para você provavelmente existem duas coisas fundamentais – saber como passa seu tempo e manter-se *ativo*. É possível que se considere eficiente. Infelizmente, não posso dizer isso de mim, mas conheço pessoas que se organizam e executam as tarefas muito bem. Na sua opinião, talvez seja essencial saber para onde vai seu dinheiro, assim sua conta bancária raramente lhe causará surpresas. De minha parte, não tenho atuado bem nessa área, mas sei de pessoas que são muito competentes nesse tipo de assunto. Pode ser que você tenha absoluto controle sobre tudo o que come. Sou um pouco melhor nesse campo, ainda assim não foram poucas as vezes em que pensei: "Deve haver alguma coisa errada com essa balança."

Outro pensamento muito familiar para mim é: "Ainda nem comecei. Para onde foi o dia?" E então surge uma reflexão ainda pior: "Ainda nem comecei. Para onde foi minha vida?" Só espero não ter que dizer isso no meu leito de morte, pois a resposta será: "Você não sabe porque jamais amou sua vida o bastante para perceber o que controla a direção dela. Nunca foi capaz de reparar no papel que sua mente desempenhou em cada passo que você deu. E como você não se deu conta, sua vida ficou ao sabor do vento, sem chegar a lugar nenhum."

CAPÍTULO 6

O propósito

Uma simples razão para viver

Antes que a bagunça subjetiva em que se encontra a maior parte da nossa vida possa ser arrumada, um propósito único deve tomar o lugar de vários objetivos conflitantes. O que faz a mente ficar agitada é termos múltiplos objetivos em ação ao mesmo tempo.

A mente que não tem pressa está satisfeita, mas apenas a mente serena é profundamente feliz. Para alcançar esse estado devemos ter uma razão plena e abrangente para estarmos vivos. Esse motivo precisa vir de uma experiência do coração, e não de um conceito que dominamos.

"Qual é o melhor caminho?" é uma pergunta sem resposta. Se você for como eu, já deve ter mudado sua direção o suficiente para reconhecer que *buscar a verdade* é uma das táticas favoritas que adotamos para adiar o que temos que fazer. A verdade é autêntica e tão óbvia que até crianças pequenas a compreendem. Vamos parar de procurar por mais um atalho para expressá-la. É hora de começarmos a praticar o que já sabemos.

O propósito único que todos nós compartilhamos genuinamente no coração pode ser manifestado de diversas formas. O discurso não é importante, mas nos ajuda a pensar de um modo simples e claro e de um jeito que nos agrada, mesmo que, de tempos em tempos, queiramos mudar as palavras. Não existem palavras certas ou erradas, pois aquilo que é verdadeiro se aplica a todas as coisas.

Durante muitos anos visitei minha mãe em diversos centros de tratamento para alcoólatras, até que, com seus cinqüenta e poucos anos, ela parou de beber. Dizia-se que o centro de maior sucesso no país era dirigido por um ex-alcoólatra que transformava a vida das pessoas basicamente por meio de palestras diárias. Ele era um orador dinâmico que empregava todos os truques de oratória possíveis e imagináveis. Na primeira vez em que o ouvi, fiquei esperando em vão pela *grande idéia* que estava realizando as tais curas milagrosas. O tema central daquela palestra e de todas as outras a que assisti era sempre o mesmo: "Tenha como único propósito na vida ser uma pessoa decente." Hoje olho para trás e percebo que um pensamento simples como esse é o único caminho espiritual de que qualquer um de nós precisa – se estivermos dispostos a colocá-lo em prática diariamente.

Talvez a orientação mais antiga e mais seguida em todo o mundo seja a de que devemos tratar os outros como gostaríamos de ser tratados. Certamente, nada mais seria necessário se levássemos isso a sério. Mas há também uma declaração de propósito de vida bastante popular, a oração de São Francisco de Assis. Já a vi escrita de várias formas. Talvez esta seja a mais simples:

"Senhor, fazei-me um instrumento de vossa paz.
Onde houver ódio, que eu leve o amor;
Onde houver ofensa, que eu leve o perdão;
Onde houver discórdia, que eu leve a união;
Onde houver dúvida, que eu leve a fé;
Onde houver erro, que eu leve a verdade;
Onde houver desespero, que eu leve a esperança;
Onde houver tristeza, que eu leve a alegria;
Onde houver trevas, que eu leve a luz.
Ó Mestre,
Fazei que eu procure mais
Consolar, que ser consolado,

Compreender, que ser compreendido,
Amar, que ser amado.
Pois é dando que se recebe,
É perdoando que se é perdoado,
E é morrendo que se vive
Para a vida eterna."

Para muitos, essa oração parece pedir o impossível: que virem santos, que andem pela Terra com pureza absoluta. Mas, se você conhecer alguns detalhes da vida de São Francisco, compreenderá que a oração fala dos anseios do coração dele e, seguramente, não é uma descrição do que ele foi capaz de conquistar a cada dia. Nosso objetivo final, até mesmo nosso objetivo diário, pode ser realmente perfeito – se formos suficientemente pacientes com nós mesmos para garantir um avanço firme e consistente.

Estaremos esperando demais se pensarmos que somos capazes de passar até mesmo umas poucas horas sem cometer erros. Ainda assim, nossas muitas falhas não devem se transformar em motivos para desânimo. O desalento, mesmo quando decorrente da busca pela perfeição, é o apego à infelicidade, porque é para ela que ele se volta como alternativa. Tudo o que podemos fazer é o melhor possível no momento presente. No entanto, somos sempre capazes de fazer melhor.

Basta de condicionamentos

Hoje, como em todos os dias, estamos diante de uma encruzilhada: um caminho nos torna parte da solução do imenso e duradouro sofrimento do mundo, o outro perpetua nossa velha e exaustiva tarefa de contribuir para que ele aumente.

Como são poucos os que tornam tudo mais fácil para os demais! Tendemos a complicar desnecessariamente a vida daqueles que nos cercam. Falando com honestidade, sabemos que confundimos e aborrecemos até mesmo nossos próprios filhos. Da maneira como nos relacionamos com a família e os amigos, somos geralmente um fardo e, na melhor das hipóteses, indignos de confiança.

Este livro pede que você se junte àqueles que desejam ser um conforto para seus entes queridos. Falando por mim, não consigo olhar minha vida e afirmar que fui uma bênção para os que me conheceram. Mas estou determinado a usar os dias que me restam para tentar apagar meus passos na escuridão com uma pequena luz. Percebo agora que só posso fazer isso hoje. E esse processo começa com os pensamentos que escolho ao acordar a cada manhã – não com as idéias com as quais alimento minha mente, mas com as crenças que já fazem parte de mim e que eu seleciono.

Estamos nos enganando se pensamos que podemos acordar e encher a cabeça com preocupações sobre o que fizemos ontem, com o que tem que ser feito hoje e com a intenção de não nos tornarmos uma fonte de preocupação para ninguém. Como podemos levar conforto aos outros quando nossa mente está dividida dessa maneira?

Costumamos ter um objetivo diferente para cada situação e atividade. Mas não estabelecemos o objetivo antecipadamente, deixamos que as circunstâncias o determinem para nós. Temos o hábito de seguir certas linhas de pensamento quando nos olhamos no espelho, outras quando tomamos banho e ainda outras quando nos vestimos, tomamos o café da manhã, etc. Seguimos claramente uma rotina física, mas possuímos uma rotina mental igualmente rígida.

Por exemplo, logo ao acordar, podemos nos manter imóveis por uns instantes enquanto a mente faz um reconhecimento do corpo. Estamos observando como nos sentimos, e esse perambular da atenção sobre as várias partes do corpo é tão rápido e automático que muitas pessoas talvez jamais tenham notado que agem assim com regularidade, no entanto é com esse simples ato que começamos a determinar as prioridades do dia. Partimos do princípio de que somos um corpo separado, sem conexão, em vez de uma mente ou um espírito profundamente interligado.

Quando comecei a observar meus pensamentos iniciais, descobri que todas as manhãs eu contava quantas horas havia dormido. Esse hábito provavelmente teve início na época em que John passou a nos acordar para contar seus sonhos, sem imaginar que não quiséssemos escutar cada detalhe àquela hora da madrugada. Assim que parei de olhar para o relógio antes de me deitar e de tentar adivinhar, de manhã, quantas horas eu havia descansado, passei a me sentir mais livre em relação à opressão do tempo. Isso, por sua vez, me tornou mais consciente sobre a importância do tempo na minha vida: *O meu deus não era Deus, mas o relógio.*

Mudar esse padrão não me levou a uma desatenção quanto à pontualidade nem diminuiu meu respeito pelo tempo dos outros. Isso me deu simplesmente uma opção que eu não notara antes. Flagrei-me perguntando: "Se o tempo não é a coisa mais importante nessa situação, o que será?"

O ritmo mental da manhã determina nosso modo de agir. E, uma vez estabelecido esse estado de espírito, mudá-lo requer um esforço muito maior do que seria necessário para começar o dia de modo diferente. O primeiro passo é identificar os velhos padrões de pensamentos relacionados a acordar, levantar-se, caminhar até o banheiro, tomar banho, dirigir-se à cozinha e abrir a porta da geladeira ou coisa parecida. O segundo passo é interromper esses padrões – felizmente, para fazer isso, basta adquirir total consciência do que eles significam.

Ao tomar consciência, a mente é capaz de corrigir-se. Uma batalha entre duas maneiras de pensar não só é desnecessária mas também contraproducente. Não precisamos encobrir nossos pensamentos com idéias positivas. Na verdade, essa prática reduz a consciência. A única atitude deve ser observar o que estamos pensando. Se não reservamos um tempo para identificar o tom mental que normalmente estabelecemos, e de que forma o determinamos, não vemos um motivo concreto para consertá-lo.

Uma prioridade a cada dia

Uma maneira simples de mudar nossa maneira de agir é decidir que tipo de pessoa queremos ser antes que o dia faça isso por nós. Felizmente, todo mundo acorda com pelo menos um ou dois instantes de serenidade mental. É possível definir, antes de nos deitarmos para dormir, qual será nosso propósito ao despertar. E, como nós o escolhemos e ele penetra em nossa mente, que está tranqüila ao acordar, não há nenhuma batalha com outros pensamentos ou objetivos, como pode acontecer quando tentamos impor um propósito diário depois de já termos mergulhado em nossas atividades cotidianas.

Faça essa simples experiência: imediatamente antes de se deitar, formule seu objetivo para o dia seguinte. Não importa de que modo tenha chegado até ele, mas certifique-se de que é um propósito abrangente, que possa ser usado em qualquer circunstância.

Se, por exemplo, a meta escolhida for "Hoje não vou julgar nada que aconteça", talvez você perceba que, independentemente da gravidade do fato, ele ainda servirá ao seu objetivo. Na verdade, quanto mais grave for o acontecimento, mais interessante deve ser o desafio de aplicar o que você estabeleceu. Pode ser difícil acreditar, mas estar alerta para não julgar absolutamente nada lhe dará trabalho mental suficiente para o dia todo. E, se tiver sucesso, mesmo que por uns poucos segundos, será um dos dias mais felizes de sua vida.

Conheça alguns exemplos de pensamentos unificadores que você pode usar, porém escolha somente um deles por dia. O efeito é sempre maior quando praticado por um período mais longo.

"Vou fazer tudo com calma."

"Prefiro estar feliz a estar certo."
"Vou fazer calmamente o que prefiro."
"Posso ficar em paz em qualquer lugar em que me encontre."
"Minhas interpretações são meu mundo."
"Nada precisa dar certo hoje para que eu seja feliz."
"Opto pela paz."
"O que eu desejo que isso signifique para mim?"
"A chave para a felicidade é uma mente serena."
"Só o que importa é confortar os outros."
"Hoje serei uma boa pessoa."
"Vou permanecer no presente."

Assim que estiver acordando, comece a repetir, lentamente, seu propósito. Deixe que sua mente vá além das palavras em direção ao seu objetivo. Depois, sente-se e comece a construir a decisão de segui-lo ao longo do dia. Bastam alguns minutos, portanto não comece suas atividades habituais até saber que sua meta está firmemente estabelecida e ter certeza de que é aquilo que você deseja conseguir acima de todas as coisas.

É melhor não dizer a si mesmo que conduta adotar para cumprir seu propósito. Você está estabelecendo um tom mental e não fantasiando suas reações exteriores. Assim, estará mais afinado com o objetivo se permitir que as ações fluam naturalmente da sua intenção. Nesse sentido, sua decisão da manhã é permitir-se ficar em paz.

Imaginar o tom que você deseja manter durante o dia é um método rápido e eficaz de orientar a mente em direção à felicidade e de construir uma reserva de força à qual possa recorrer prontamente sempre que sua felicidade começar a escapulir. Todas as vezes que se descuidar de seu objetivo, simplesmente se recorde dele. Não perca um segundo lastimando o fato de tê-lo esquecido. O esquecimento exige apenas a lembrança.

CAPÍTULO 7

O dia

Contornando os erros

Nas primeiras tentativas de reorientar a mente é comum esquecermos o objetivo que estabelecemos pela manhã. Isso não nos impede de progredir, desde que comecemos novamente tão logo percebamos o que aconteceu. Mas, assim como uma criança irritada, nossa reação habitual é derrubar toda a torre de blocos de armar só porque um ou dois deles caíram. Tendemos, então, a considerar o dia perdido. Podemos até mesmo ter tido consciência do erro enquanto o cometíamos, tentado sem muito entusiasmo nos deter, depois continuado a errar *intencionalmente*. Nada disso importa se recomeçarmos assim que estivermos nos sentindo mais uma vez fortes o bastante para isso.

O que nos atrasa não é cometer o erro, mas insistir nele. O segredo é observar até que ponto chegamos e não até onde temos que chegar. A motivação depende de nós.

O lado infeliz da mente pensa que a autocrítica é uma virtude, uma forma de humildade e uma indicação valiosa de *honestidade consigo mesmo*. Ele está sempre empenhado em tentar entender e explicar. Mas procurar compreender um erro é cometer outra falha.

> Você conseguirá eliminar um dos maiores obstáculos ao seu crescimento quando aprender a reagir a cada erro, simplesmente admitindo-o e começando outra vez.

A rotina é de grande ajuda nesse sentido. Um padrão diário consolidado permite que nossa disposição se estabeleça mais rapidamente, pois um plano bem-feito nos ajuda diante das dificuldades previsíveis. Não tendo uma idéia definida do que queremos, tendemos a ficar em dúvida sobre quase todas as coisas. Dessa forma, as situações que antes nos deixavam infelizes continuam nos machucando porque não recebem nossa completa atenção. O dia passa e seu único sentido para nós é se gostamos ou não dos acontecimentos. Assim, nos colocamos em uma posição na qual tudo o que podemos fazer é esperar pelos resultados – e passamos a maior parte da vida à espera deles.

Muitas pessoas consideram os acontecimentos inesperados e incomuns como meras aventuras, mas não percebem que, embora isso cause um pouco de excitação, elas continuam sendo vítimas do curso geral das coisas, as situações permanecem bastante carregadas e a satisfação é incerta. Ser apanhado desprevenido não aumenta a liberdade. Dificilmente se encontra a felicidade num impulso momentâneo.

Para todas as pessoas, o dia segue uma rotina, mas com freqüência é um padrão desenvolvido sem análise e que não contribui especificamente para nada. Não é adequado formular e reformular regras sobre como a vida deveria ser, como os pais fazem muitas vezes com os filhos e, no íntimo, com eles próprios. Mas, se traçarmos um plano simples e inteligente para o dia, ficaremos livres de muitas decisões superficiais e permitiremos que nossos pensamentos se voltem com mais facilidade para a paz.

O corpo exige menos nossa atenção quando levamos em consideração fatores óbvios, tais como a regularidade com que precisamos comer, os alimentos que devemos evitar e o tempo de sono e de exercícios de que precisamos para nos sentir bem. Se um programa de TV, um almoço com alguém especial, telefonemas em determinadas horas, visitas ou muitos compromissos sociais nos agitam a ponto de dificultar a concentração em nossos objetivos, *podemos* ajustar nossa vida para evitar boa parte dessas distrações.

É claro que não é função deste livro traçar um modelo de rotina diária nem nos estimular a formular planos que possam fortalecer a velha tendência de buscar soluções externas e o apetite por regras e críticas. Soluções desse tipo não existem, exceto as provisórias para problemas externos – e é claro que a infelicidade não é um deles.

Ter em mente um objetivo não significa transformá-lo em uma pequena divindade diante da qual todos à nossa volta devem se ajoelhar. Uma programação rígida não faz o menor sentido. A firmeza precisa estar fundamentada na resolução de sermos e fazermos os outros felizes. O plano diário existe para facilitar a vida para nós e para quem amamos e deve, portanto, ajustar-se às circunstâncias.

Evitando os estímulos

A tradição mística oriental de desprezar os estímulos externos que provocam o ego – embora mal compreendida no Ocidente, que a vê como uma rejeição ao mundo – é um excelente antídoto para um dos mais comuns e devastadores poluidores da mente. Os relacionamentos se desgastam, as famílias se dividem e a saúde se deteriora em conseqüência da agitação causada pelo excesso de estímulos. Mas, desde que nossa cultura passou a associar a idéia de ser muito ocupado com ser importante, o efeito de tudo isso não tem sido reconhecido pela maioria das pessoas.

"Você acha que deveria telefonar para ele? Ele é tão ocupado..." Tradução: *ele é mais importante do que você*. Em uma cena de um antigo filme de ação em que há um resgate sob fogo cruzado, um homem grita para seu colega de batalha: "Você está sangrando!" O outro responde: "Não tenho tempo para sangrar." É desse jeito ocupado que muita gente imagina que gostaria de ser. Os conceitos "Prefiro ser ocupado a ser feliz" e "Prefiro ter razão a ser feliz" provavelmente figuram como os dois sustentáculos da infelicidade humana nos dias de hoje.

Quando nos preocupamos com as condições que nos cercam, acabamos sendo influenciados por elas. Embora sejamos vulneráveis a muita coisa, podemos minimizar seu efeito sobre nossas vidas e realizar muito mais do que imaginávamos.

Mesmo sem jamais ter visto você, posso afirmar algo indiscutível sobre seu modo de vida. *Você está fazendo demais.* Ainda que se considere uma pessoa preguiçosa, está sendo superestimulado e precisa diminuir o ritmo. Essa afirmação soa absurda por causa do nosso hábito de caracterizar ações como dormir, ver televisão, comer, sentar, tomar banhos demorados, entre outras, como *não fazer nada* – o que significa *não produzir nada*. O julgamento inconsciente típico é, na verdade, mais específico do que esse. Em nossa cultura, qualquer atividade que não gere dinheiro é vista com desprezo. Para a maioria das pessoas, é difícil limpar a casa ou cuidar dos filhos sistematicamente sem se aborrecer nem se deprimir. O consenso é que, a menos que haja a possibilidade de ganhos financeiros, estamos desperdiçando tempo.

Não é possível eliminar todos os estímulos, portanto não existe uma conquista definitiva nessa área a não ser pairar completamente fora do mundo. Contudo, ganhos substanciais estão à espera de qualquer um que esteja disposto a aceitar que um dia simples, sem confusões, torna muito mais fácil ser bondoso, centrado e presente do que um dia cheio de atividades *significativas*. E como uma ação pode ser importante se não é feita com felicidade?

Simplificando a vida

A felicidade é como o minúsculo broto viçoso de uma planta nova. Ele é frágil e vulnerável a invasões. Se não lhe dermos espaço para crescer, vai secar. Isso já aconteceu várias vezes com todos nós. Mas, quando deixamos de interferir na nossa felicidade, a força dela começa a aumentar.

Por isso, em vez de adicionar ações cada vez mais vazias a uma vida já profundamente dispersa, temos a responsabilidade de voltar ao ponto em que sejamos capazes de fazer algumas coisas com encantamento.

À primeira vista, simplificar nossa rotina, cortando tarefas e compromissos que não sejam prioritários parece impossível. Mas se você for honesto consigo mesmo, verá que isso não é uma verdade absoluta.

Ao longo dos anos, eu e Gayle realizamos alguns cortes. Reduzimos as respostas a telefonemas de aproximadamente vinte por dia para cerca de dez por semana. Organizamos a lista de compras ou de incumbências para que as saídas de carro fossem provavelmente um vigésimo do que eram dois anos antes. Livramo-nos de festas e jantares do tipo *devemos isso a eles*. Raramente temos hóspedes (houve uma época em que era difícil não termos). Hoje só compramos um carro novo quando o antigo está literalmente caindo aos pedaços. Com a mudança da dieta alimentar e a prática de exercícios, diminuímos o número de idas ao médico.

Como conseqüência dessa e de outras tantas simplificações, acumulamos uma pequena fortuna de tempo que esbanjamos com nossos filhos, meditações, longas caminhadas e outras atividades que consideramos *guiadas pelo coração*. Minha renda caiu para aproximadamente metade do que era antes de eu começar a recusar a maioria dos convites para palestras, mas meu patrimônio no que se refere a amar e ser amado ultrapassa em muito o nível de satisfação que eu tinha alguns anos atrás.

Cortar não é certamente tudo o que existe para alimentar a felicidade. Mas, tal como limpar o terreno e preparar o solo, esse é um passo inicial decisivo, uma iniciativa muitas vezes negligenciada em nome do *dever* de cada um – como se o desassossego e a irritação pudessem acrescentar algo à nossa paz ou à paz do mundo.

Muitas pessoas impedem seu próprio progresso por acreditarem que estão acima do nível de desenvolvimento que a média das pessoas pode alcançar. Sempre que cometemos esse erro, começamos a forjar uma imagem vazia daquilo que pensamos que deva ser a iluminação. Isso nos coloca em conflito com o sentimento de normalidade, ou de igualdade. Achamos que agora não devemos ter medo de ficar em uma casa às escuras ou que somos capazes de permanecer impassíveis em lugares muito cheios ou violentos. Acreditamos que a dieta que estamos seguindo não deveria fazer nossa barriga roncar nem provocar caretas em nossos filhos. E, quando acampamos, a natureza não deveria nos provocar alergia.

Em outras palavras, tão logo pensamos que somos superiores ao ambiente que nos cerca, entramos em guerra com ele. Negar nossos medos nos condiciona a uma série de pequenas frustrações ao longo do dia. O bom senso pode não ser muito excitante, mas ele nos leva mais longe do que o orgulho.

> Talvez o melhor caminho para livrar nosso dia da confusão que nos aflige seja encontrar algum jeito tranqüilo de contorná-la. Ninguém, na verdade, tem que *aprender a lidar* com nada!

Pense um instante como é absurdo o conceito de precisar aprender a *enfrentar* tudo o que acontece. Entretanto, as pessoas acreditam que devem superar os obstáculos que surgem em sua vida diária porque *será bom na longa caminhada*. Talvez essa idéia pudesse fazer algum sentido se a vida se resumisse a uns poucos acontecimentos, mas os problemas potenciais com os quais podemos e vamos lidar são inúmeros. Eles nunca terminam. E raramente têm algo a ver com os que já sabemos resolver.

Não hesite em se virar e encarar o que normalmente o aborrece. Isso é bem diferente de tentar explicar seus erros, o que é impossível. Por mais que seja irritante ou angustiante, há um caminho além deles. Na verdade existem centenas de caminhos e enxergamos pelo menos alguns quando colocamos de lado nossa acalentada resistência, reservamos um tempo para observar o que está acontecendo e não ficamos tão exigentes sobre os meios que usamos para enfrentar o problema.

Identificando padrões específicos

Uma boa maneira para começar a lidar com qualquer problema pessoal é aumentar nossa percepção de todos os aspectos da dificuldade. Praticamos isso olhando para a vida como se a víssemos pela primeira vez.

Muitas pessoas começam o dia de modo perfeito. Estabelecem propósitos, e eles são bons. Mas logo acontece alguma coisa que *as faz* esquecer o objetivo. Pelo menos sua impressão é de que foram forçadas a esquecê-lo ou abandoná-lo. Isso bastaria para indicar o quanto elas não têm consciência da forma como fogem da meta. Os acontecimentos não coagem. As reações, sim.

Para perceber melhor o papel que desempenhamos na sabotagem dos nossos propósitos, devemos começar fazendo um registro de tudo o que nos chateia ao longo do dia – aborrecimentos grandes e pequenos. Podemos ter certeza de que, sempre que ficamos irritados, esquecemos o objetivo que traçamos para o dia. Alguma coisa nos empurrou para fora do rumo. O que foi? Como, à primeira vista, parece que algum acontecimento causou o deslize, devemos registrar o fato. Logo iremos olhar novamente para o que se passou e estabelecer uma diferença entre o que ocorreu e a reação que tivemos, mas, por ora, é bom avaliar a freqüência com que perdemos o controle da nossa felicidade em um único dia.

Depois de alguns dias fazendo um relatório do que o chateia, você estará pronto para identificar o padrão que está por trás dos aborrecimentos. Numa tentativa de evitar responsabilidades, tentamos atribuir uma única causa a todas as dificuldades. Pensamos em culpar uma pessoa ou um conjunto especial de circunstâncias para justificar nossa reação. Mas perceber essas coisas não exclui a possibilidade de que o *nosso* padrão de participação seja o mesmo.

É claro que precisamos assumir a responsabilidade pelos padrões que seguimos. Mas, atenção: responsabilidade não significa culpa – esta é uma reação ineficaz, porque a culpa bloqueia os insights, concentrando nossa atenção sobre nós mesmos e excluindo as pessoas afetadas.

Vamos dizer que o padrão que temos seguido, sem perceber, é o de que sempre nos vemos como vítimas. Então, quando consideramos as recentes contrariedades – no casamento, no trabalho, com um amigo, nas compras, etc. –, percebemos um tipo de tristeza, um desânimo que acompanhou a maioria delas. Agora nos concentramos nesse pequeno complexo de emoções e perguntamos: "O que essa sensação me lembra? Quando senti isso antes?" Essas indagações, por sua vez, trazem à memória outras situações difíceis ocorridas semanas ou anos atrás e, muitas vezes, até mesmo na nossa infância.

Passamos a ficar atentos a esse sentimento e, ao prosseguirmos com a vida, o veremos brotar dentro de nós cada vez mais. O que ele está nos dizendo? Aos poucos seu significado se revelará – não porque sejamos capazes de adivinhá-lo, mas porque já o vimos antes. O processo a que estou me referindo não é um jogo de idéias ou um exercício intelectual. É uma observação desapaixonada. Que emoção guia esses aborrecimentos e que pensamento guia a emoção?

Talvez o sentido de uma forte depressão possa ser visto da

seguinte forma: "Sou sempre uma vítima. Tudo o que me acontece e que me desagrada é por culpa de alguém." Ou digamos que, ao rever a lista, a emoção predominante não seja a tristeza, mas a raiva. Perguntamos então: "O que isso significa?" E, de novo, ficamos alerta a situações que achamos difíceis até que sejamos capazes de colocá-las em palavras: "A vida não tem sido justa comigo e você vai pagar por isso" ou "Os genes que herdei (os pais que tive, meus últimos dois maridos, a doença que peguei) foram injustos, por isso vou jogar minha raiva em você".

Repare que as palavras que você usa para o sentimento latente nunca são específicas para os diversos acontecimentos perturbadores. E note também que elas sempre são essencialmente as mesmas.

As emoções que causam as inquietações e o que elas significam são, naturalmente, coisas diferentes para cada pessoa. O que não varia é o fato de que a infelicidade tem um padrão central, e este pode ser identificado se quisermos vê-lo. Não somos responsáveis por aquilo que o dia nos reserva, mas somos responsáveis por reagir a tudo do mesmo jeito infeliz – mesmo que seja só levemente infeliz!

Podando as ervas daninhas

Uma vez identificado o padrão da nossa infelicidade, surge o desafio de flexibilizá-lo. Identificar e mudar o padrão que estabelecemos para nossa felicidade pode ser um trabalho para a vida inteira.

Quando observamos os meios habituais que usamos para nos tornar infelizes, parece haver mais do que uma emoção e um pensamento por trás deles. Assim, ao nos dispormos a afrouxar o laço desses pensamentos e sentimentos, parece que seu número vai se reduzindo e se consolidando até que um padrão central passa a ser identificado na base de todos eles.

O centro da nossa emoção e do nosso pensamento produz padrões de dificuldades externas, e acabamos dando preferência à eliminação desses sintomas do que de suas causas enraizadas. Se pensarmos na vida como um jardim, acho melhor começar podando as ervas daninhas do que tentar arrancar suas raízes. Quando vemos que o jardim está pelo menos livre delas, nos sentimos bastante encorajados. O lado negativo, naturalmente, é que logo afloram novos padrões de dificuldades e começamos tudo de novo.

Outro exemplo dessa abordagem é encontrado na maneira como as pessoas lidam com o alcoolismo, que é um padrão de comportamento externo com uma causa enraizada. Muitos alcoólatras que aprenderam a parar de beber continuam sob observação porque ainda possuem personalidade de alcoólatra. Na verdade, a raiz do problema não foi eliminada, mas será que alguém pode dizer que a pessoa não ganhou nada parando de se embriagar?

Digamos que seu centro de emoção e pensamento esteja se manifestando na incapacidade de manter o emprego, o peso ou a relação amorosa, de concluir tarefas ou de dirigir sem se enfurecer. Se você registrou os seus aborrecimentos por alguns dias, certamente cruzou com um ou dois padrões de comportamento com os quais gostaria de acabar. Experimente o seguinte:

- Primeiro, acalme a mente e o corpo e descanse confortavelmente por uns minutos. Em seguida, olhe honestamente para aquele tipo de comportamento e tome consciência de que você tem um problema com ele. Por exemplo, diga a si mesmo: "Costumo estar sempre atrasado. Chego tarde ao trabalho, às festas, aos compromissos, etc."
- Pergunte a si mesmo: "Esse hábito de chegar atrasado me faz feliz?"

- Depois: “Há alguma coisa que eu queira fazer a esse respeito? Quero mesmo despender esse esforço?”
- E para terminar: “O que eu deveria tentar se houvesse a chance de melhorar as coisas?”

Não tente chegar a uma resposta com a intenção de destruir o padrão de um modo perfeito e eterno. Tudo o que você quer é uma medida que lhe permita permanecer feliz. Não importa que ela seja mental ou física, mas que você não limite suas opções quando decidir que passos vai dar.

Se for útil fazer uma lista de soluções (tanto absurdas quanto práticas) para tornar seus pensamentos mais flexíveis, use esse truque ou qualquer outro que o ajude a não ter uma mentalidade estreita. Veja o exemplo a seguir:

“Se eu morasse em um iceberg, jamais me atrasaria.”

“Se eu saísse para o encontro um dia antes, jamais me atrasaria.”

“Se eu calculasse honestamente o tempo que levaria para chegar e acrescentasse mais 10%, raramente me atrasaria.”

“Se, como um símbolo da minha devoção ao Altíssimo, eu vivesse sob a regra de sempre chegar cinco minutos mais cedo, jamais me atrasaria.”

“Se eu me concentrasse nos sentimentos da pessoa que tem que esperar por mim, raramente me atrasaria.”

Qualquer padrão, ainda que constante, pode ter um fim, e basta um pequeno número de passos para deixá-lo para trás. Se você insistir, chegará o dia em que essa linha de conduta, qualquer que ela seja, estará ultrapassada – ou vai deixar de ser importante ou vai se resolver em termos práticos.

CAPÍTULO 8

Caminhos alternativos

O ego e o momento presente

A grande porta comum através da qual a maioria das formas de negatividade entra na mente é a expectativa. Se observarmos os pensamentos com cuidado, verificaremos que no momento em que saímos da cama começamos a decidir como cada pequeno acontecimento deve funcionar para que possamos ter um *bom* dia. Mas, como sempre, o dia é perverso e se recusa a progredir. Você diz: "Vou comer minha granola", ignorando que seu marido ou sua esposa acabou de engolir o pouquinho que ainda havia dela. Ou então: "Quero tomar um longo banho de banheira", mas, quando está debaixo d'água, seu filho o chama porque o gato acabou de vomitar. "Preciso sair de casa às oito em ponto" ou "Tenho que chegar no trabalho em 25 minutos" também se transformam rapidamente em motivo de contrariedade. E por aí vai.

Em uma espiral descendente, vamos levando essa frustração de uma atividade para outra. Aquela desagradável sensação de que a vida não deveria ser exatamente assim parece ser a única coisa do dia em que podemos confiar.

Embora muito possa ser feito no presente, uma parte surpreendente da frustração deve-se a fatos em relação aos quais nada podemos fazer. É algo que já aconteceu, que jamais vai acontecer ou que talvez aconteça, mas que não pode ser resolvido hoje ou sobre o qual não temos controle.

O hábito de atravessar o dia estabelecendo as condições da nossa felicidade é apenas uma forma mais direcionada de medo, concentrada no futuro imediato e, portanto, aparentemente mais prática. Ao acordar, você coloca os pés fora da cama e a primeira coisa que vê são as roupas íntimas do seu companheiro espalhadas pelo chão. "Tenho que conversar sobre isso", você diz a si mesma. "Este casamento não vai dar certo até que isso tenha um fim." (Embora não tenha dito uma única palavra sobre o assunto nos últimos 12 anos.) Ou então você percebe que o tapete precisa ser aspirado. "Carlos e Raquel virão jantar. Tenho que cuidar disso antes de sair para o trabalho." (Mas, na pressa de aprontar o café da manhã, você deixa cair no pé o ovo que planejava fritar, e quando acaba de limpar seus dedos não só não dá mais tempo de passar o aspirador como também tem que esquecer a torrada que você tanto queria.)

Em vez disso, ponha seu coração, tranqüilamente, naquilo que você está fazendo no momento. Porque, lembre-se, nada vai dar certo hoje. E, se der, isso só vai assustar você.

Para cuidar das coisas que merecem nossa atenção, temos que nos manter no presente. Mas isso não significa que devemos ficar nos perguntando sem parar que coisas são essas, pois assim escapamos do momento atual e perdemos a eficiência. Mais exatamente: nos sentimos infelizes por não estarmos executando direito aquilo que estamos fazendo agora. Temos simplesmente que prosseguir com calma, nos esforçando para fazer o melhor possível.

> A capacidade de ser feliz cresce com as repetidas tentativas de exercitá-la, apesar de nos considerarmos fracassados todas as vezes.

Pare de vez em quando e pergunte a si mesmo se está realmente fazendo aquilo que deseja. Procure saber, ao menos, se é desse jeito que você quer se sentir. Caso esteja prestes a começar uma nova atividade, tente certificar-se de que ela é o que, de fato, você quer. Jamais tenha medo do que o seu coração preferir, porque, ao contrário do seu ego, ele sempre responderá a favor do presente, em vez de encher sua cabeça com aspirações sem sentido. É possível eliminar de uma vez por todas a vaga sensação de que poderíamos estar em um lugar melhor ou de que poderíamos estar fazendo algo mais interessante.

O ego tem sua própria definição de como se manter no presente, prosseguindo com o que se está fazendo a qualquer preço. Quando adotamos essa atitude, reagimos com irritação a tudo que contrarie a busca do nosso objetivo imediato, ainda que jamais tenhamos analisado se acreditamos nesse propósito. Por outro lado, o desejo do nosso coração é o de agir com alegria e da melhor forma, e *não* o de evitar interrupções.

Por que devemos terminar todas as coisas? Por que isso é melhor? Por que devemos atender cada telefonema, terminar cada livro e assistir a cada novela até seu fim deprimente? Por que ficamos em uma festa até que saia a primeira pessoa? Por que suportamos cada agressão até à última palavra amarga? Sempre vão acontecer interrupções, e devemos passar a não lhes dar importância.

> A verdadeira felicidade é flexível porque está vinculada a um estado interior que pode ser controlado, e não ao mundo – este nunca seremos capazes de dominar.

Sem dúvida, ajuda muito não ser dispersivo, embora o mundo seja completamente desconexo. É bom saber quais são as prioridades e resistir a pular de uma atividade para outra. Por exemplo, se é importante limpar a casa, você não vai, quando passar pela escrivaninha, se sentar e começar a verificar as contas, porque estas não são a prioridade naquele momento. Entretanto, isso não significa que primeiro você precise acabar de arrumar a cozinha antes de ir para a sala ou que, enquanto estiver limpando a sala, não deva parar para alinhar um quadro na parede, visto que tudo isso faz parte da sua prioridade.

Mas o que geralmente acontece é pensarmos: "Uma hora isso vai ter que ser feito, então vou fazer logo." Esse tipo de raciocínio, porém, não tem limites. Por exemplo, vamos até o banheiro porque está na hora de nos aprontarmos para dormir. Enquanto escovamos os dentes com a nova pasta que promete milagres, nos olhamos ansiosamente no espelho em busca daquele sorriso mais brilhante. Mas tudo o que vemos são respingos de pasta acumulados por três dias.

Cumprindo nosso dever, largamos a escova e marchamos para a cozinha em busca do limpa-vidros. Ali, vemos que alguém deixou o leite fora da geladeira. Quando abrimos a porta do refrigerador para guardá-lo, somos envolvidos por um cheiro horrível e, uma hora depois, nos vemos sentados no chão com metade da nossa comida sem que tenhamos encontrado o que estava estragado. E mais, ainda resolvemos passar uma esponja nas prateleiras e arrumar as tigelas por altura – provando, mais uma vez, como os seres humanos adoram começar projetos que não podem terminar quando simplesmente é hora de ir dormir.

A resposta do ego aos conflitos

Ao se perguntar se está fazendo o que realmente quer, talvez você consiga ter uma visão mais honesta de seus conflitos. Você deseja continuar vivendo dividido? Por causa dessa divisão estamos sempre nos atrasando e nunca chegamos a finalizar as coisas. Portanto, feche os olhos e diga: "Estou fazendo as contas do mês. Foi o que escolhi fazer. Se eu me apressar para poder ver a novela, será impossível ser feliz agora." E, apesar do tempo gasto com essa pausa, surpreendentemente a tarefa será executada com mais rapidez e, com certeza, com mais prazer.

O ego resolve os conflitos lançando-se com impetuosidade

sobre o que precisa ser realizado. Como ele tem a crença doentia de que só as aparências importam, essa tática parece ser perfeitamente lógica, pois, se estamos *fazendo* alguma coisa, não *parecemos* estar em conflito. Assim, se você estiver deprimido, mexa-se; se estiver doente, leia dúzias de bulas de remédios; enfim, ocupe-se com alguma coisa, qualquer coisa, mas, seja o que for, não fique nem um instante em paz nem considere a voz do seu coração. Porque, para o ego, a pausa se *parece* com indecisão.

Além de sorver uma enorme quantidade da nossa energia, a tensão não nos dá o que queremos. Desejamos estar em plena atividade agora. Queremos saber tudo. Mas como isso é possível se nos sentimos em conflito em relação àquilo a que estamos nos dedicando? A ausência de serenidade é um indício de que estabelecemos um objetivo que menospreza o presente. Se estamos nos sentindo assim, é porque assumimos que alguma coisa no futuro é mais importante e que o agora é simplesmente algo que devemos atravessar. Essa é uma atitude negativa que nos leva a evitar a única coisa da qual não podemos escapar: o momento presente. O único dia que sempre viveremos é aquele que chamamos de hoje, e a única lição que vale a pena aprender é como atravessá-lo em paz.

Começando logo após o período de serenidade pela manhã e continuando até o começo da preparação mental para dormir, observe atentamente como seu dia transcorre. Identifique os pontos baixos e o momento em que ocorre o ponto mais baixo de todos.

Até aqui tentamos ficar mais conscientes das perturbações, principalmente das reincidentes. Agora queremos observar como elas geralmente se agrupam dentro de um único dia. É bem comum haver uma série de pequenas contrariedades e frustrações todas as manhãs. Isso acontece porque a maioria das pessoas não começa o dia de forma sensata. Elas jamais se sentam e fazem uma programação inteligente para a parte da manhã. Conseqüentemente, estão sempre enroladas e atrasadas e acabam deixando de lado suas próprias necessidades e, muitas vezes, pisoteando os sentimentos dos outros.

Assim que começamos a notar que há certos períodos em que acontece a maior parte dos contratempos e que há outros em que poucas coisas nos aborrecem, percebemos que não somos tanto vítimas das circunstâncias quanto do nosso humor. Isso nos permite descobrir caminhos para evitar os estados de espírito que nos causam contrariedades.

Recomeçando o dia

Mesmo que o gráfico pessoal de vulnerabilidade aos aborrecimentos seja variável – às vezes de forma tão pronunciada que podemos identificar *pessoas matutinas* e *pessoas noturnas* –, não costumamos acumular muitos contratempos ao longo do dia. Normalmente, no final da tarde a mente fica distraída e mais suscetível a emoções de tristeza. É possível evitar essa dinâmica – e uma rotina que a antecipe é capaz de ajudar bastante.

Escolha o que você acredita ser o período mais baixo do dia e programe um pequeno intervalo logo antes de ele começar. Se seu trabalho ou outras circunstâncias não lhe permitirem fazer essa interrupção, planeje a pausa o mais perto possível do seu período de vulnerabilidade. Digamos que três da tarde seja uma hora de irritação e cansaço para você, mas que seja impensável dar uma parada às duas ou às duas e meia. Nesse caso, que tal reservar alguns minutos na hora do almoço?

A facilidade com que essa programação será feita e lembrada dependerá, é claro, do que a felicidade significa para você. É bom esclarecer que a infelicidade tem vantagens e desvantagens. Optar por ela propicia uma série de prazeres, e é preciso prestar atenção neles. Se, ano após ano, você fica irritado no fim da tarde, é obvio que esse comportamento lhe proporciona algum tipo de vantagem. Talvez você se sinta liberado para dizer coisas ofensivas ou faça com que as pessoas andem na ponta dos pés à sua volta. Talvez cultive o cinismo e se entregue um pouco à idéia de que nada importa de verdade. Também pode estar usando a mudança de humor para escapar de certas tarefas das quais, de fato, você quer se livrar.

Contudo, se estiver convencido de que deseja romper com a depressão habitual, um bom começo é fechar os olhos e dividir mentalmente o dia em dois. Declare encerrado o velho dia e dê início ao novo agora. Pode ser até que deseje olhar o relógio para marcar a hora. Mantenha-se firme no seu propósito de se desprender das coisas que já aconteceram. Relembre o objetivo traçado e volte a estabelecê-lo como se fosse a primeira vez.

Talvez seja necessário dedicar uma atenção maior a algum acontecimento especial para que consiga deixá-lo para trás. Se for o caso, experimente a seguinte técnica: imagine todas as pessoas envolvidas no acontecimento e circunde mentalmente cada uma delas de luz. Faça isso até sentir afrouxar um pouco seu controle sobre o que está atraindo o seu pensamento. Se o incidente envolver apenas você, visualize a si mesmo vivenciando aquele fato de novo, mas desta vez envolto em luz.

Um método que não encontre resistência fortalece a mente. É por isso que, muitas vezes, algo simples como imaginar as pessoas rodeadas de luz é o que basta. Muitas pessoas preferem fazer alguma coisa fisicamente para relaxar. Se esse for o caso, você pode escolher um dos seguintes exemplos:

- Sente-se na ponta de uma cadeira e curve-se para a frente, deixando os braços e a cabeça penderem em direção ao chão. Afunde na cadeira e, completamente relaxado, sinta todas as coisas que lhe aconteceram *rolarem pelas suas costas* e serem completamente drenadas de você.

- Beba um copo de água bem devagar e, a cada gole, visualize a água purificando-o de todas as frustrações acumuladas.
- Caminhe com passos rápidos por uma determinada distância ou suba um lance de escadas. Enquanto estiver andando, sinta-se deixando o *velho* dia inteiramente para trás. Isso proporciona o benefício adicional de ativar o metabolismo, um efeito que pode durar uma ou duas horas.

O benefício da dúvida

Costumamos dizer que conseguimos perdoar, mas que não conseguimos esquecer. Mas, para desculpar de um jeito que restaure nossa felicidade, devemos abandonar o desejo de lembrar, e isso *não* é, decididamente, uma tarefa impossível. Conseguimos nos livrar de uma idéia, de uma imagem ou de uma vontade quando reconhecemos que elas não fazem o menor sentido no presente.

O ego é capaz de usar sua própria versão do perdão como uma forma de atacar ainda mais – e isso ocorre com freqüência. Podemos nos aproximar diretamente da pessoa e dizer-lhe: "Quero que você saiba que embora não tenha sido fácil, finalmente o perdoei pelo que me fez." Outras vezes prosseguimos com o ataque mentalmente: "Deus, com toda certeza, vai perdoá-lo – quem sabe em dois mil anos?" Também acontece de explicarmos a nós mesmos *por que* a pessoa agiu daquela maneira, mas jamais questionamos a impressão que temos sobre *o que* ela fez. Mas é exatamente esse *o que* que devemos deixar de lado se quisermos livrar a mente da infelicidade.

Os ressentimentos surgem por não conhecermos todos os fatos. Como já se disse muito bem, "entender todas as coisas é perdoar todas as coisas". Isso não significa que a resposta seja ampliar nossa compreensão: por mais que ela se expanda, continuaremos sem conhecer o significado de todos os fatos.

Talvez o insight preliminar seja este: *perceber nossa completa ignorância é absolver os outros da imperfeição*. Ao dizermos "não sei", nos livramos dos sentimentos de separação. Quando admitimos que as bases para o nosso ponto de vista podem ser imperfeitas ou distorcidas, começamos a abrir mão dele – nem a culpa pode ser atribuída em caráter definitivo, nem a inocência pode ser integralmente atestada. Em vez de tentar entender o que os outros fizeram, a atitude sadia é parar de pensar sobre o que eles fizeram.

Ter uma opinião definitiva sobre alguma coisa significa que estamos errados. A única questão verdadeira é a felicidade. Se estivermos fazendo os outros felizes, estamos certos. Por outro lado, quando tornamos as pessoas infelizes, estamos equivocados. E nossas opiniões altamente conceituadas nunca deixam ninguém feliz, não no sentido profundo e confortador dessa palavra.

Só temos um caminho a seguir: o da paz – possuindo-a com firmeza e estendendo-a com perseverança. Qualquer posição que não proporcione uma paz genuína a alguém não é nem jamais será justificada, não importa quantas pessoas reunimos para dizer que concordam com nossa opinião. Todos fazemos o melhor possível, e é nisso que está nossa inocência. O que mais precisamos *entender* além disso?

Perdoar é desapegar-se do passado por causa de um forte interesse no presente. É o que as crianças pequenas fazem com tanta facilidade. Elas não são mais virtuosas, apenas estão mais interessadas em brincar com seus amigos agora do que fazer o que estavam fazendo dez minutos antes. Como adultos, dispomos da lógica para nos ajudar. Admitimos que não somos qualificados e que, portanto, não podemos julgar. E isso é um fato. A manifestação "Quem sou eu para julgar?" aponta uma verdade maravilhosa que deve ser guardada como um antídoto contra a tendência que temos de nos envenenar. Sente-se calmamente e diga: "Não vale a pena pensar no que aconteceu porque está além de mim compreender tudo perfeitamente. Por isso, escolho não ficar remoendo a mesma coisa. E, como sou sincero, quero fazer o que for necessário para deixar isso para trás."

O propósito desse enfoque não é banalizar qualquer ação que possa ter nos prejudicado no passado, afinal muitos de nós já sofremos bastante nas mãos dos outros. Também não se trata de reinterpretar os acontecimentos. Essa é uma visão que permite curar a mente, pois é nela que permanecem os efeitos do dano. Depois de algum tempo, devemos escolher se queremos continuar a ser provas vivas de tudo o que nos foi feito ou se preferimos emergir das cinzas do passado.

Rompendo com a situação

Todos os julgamentos nos vêm à mente dentro de um determinado contexto. Nosso corpo está fazendo alguma coisa no momento em que nossa mente é perturbada, e é raro que a conexão entre o pensamento negativo e o que estamos realizando se torne aparente. Mas, independentemente da nossa atividade naquele instante, é necessário termos a consciência de que acabamos de perder a felicidade.

Estar feliz – ainda que seja um estado espiritual e não físico – é a mesma coisa. Precisamos conhecer algumas formas de paz e felicidade para que sejamos capazes de apreciar o que estamos perdendo na ausência desses sentimentos. É por isso que estabelecer uma base de felicidade pela manhã é útil. Uma vez firmado esse hábito, podemos implementar outra medida para proteger nossa integridade mental. Trata-se da prática de *romper com a situação*, que significa parar o que estamos fazendo no exato instante em que percebemos que estamos perdendo a tranqüilidade.

No momento em que você perceber que está menos do que feliz, faça alguma coisa para indicar a si mesmo que existe algo mais importante do que a atividade que está realizando e que essa coisa é exatamente seu estado de espírito.

Sempre que você nota que não está feliz, mas continua com o que está fazendo, sua mente resiste a se intrometer nessa confusão. Mas se, por exemplo, você pára o carro no acostamento, pede silêncio e fala diretamente com sua mente, as palavras o atingem na hora, pois toda a sua atenção está voltada para si mesmo. O resultado é um inegável ganho em serenidade. Isso ocorre porque, para a maioria de nós, ações como se sentar e fechar os olhos são símbolos fortes.

Antes de poder vivenciar um único dia sem o menor medo e completamente feliz, é necessário encarar honestamente tudo aquilo que você considera imprescindível para um estado de espírito estável. Nunca se atrasar? Interromper alguém e firmar seu ponto de vista? Querer se dar bem nos negócios, no trânsito e talvez até mesmo no jogo? Sempre procurar não ofender? A lista é muito longa, mas a verdade é que na vida da maioria de nós não há espaço para um tipo diferente de prioridade, sobretudo para uma tão delicada como a felicidade.

E o que fazer quando você tiver rompido com a situação? Surpreendentemente, isso não tem muita importância desde que seus pensamentos estejam tranqüilos. Então talvez possa conversar com seu coração e se lembrar do que é realmente relevante, ou se recordar de uma linha de um livro sagrado, ou fazer umas respirações lentas e profundas, ou ficar quieto e ausente por um momento para se acalmar e *recuperar os sentidos*.

É comum perdermos dias inteiros em confusões, desânimo, ressentimentos, ciúmes, amarguras ou outras versões da infelicidade só porque uma pequena atividade do ego foi negligenciada – isso se torna um motivo forte o suficiente para arrasar com nosso estado de espírito. Romper com a situação é um caminho confiável para uma rápida retomada da paz e da felicidade. E é uma medida simples o bastante para que você a adote por toda a vida.

CAPÍTULO 9

Deixando o passado para trás

Nada de carregar peso

Muitas pessoas reconhecem a importância de começar o dia com uma orientação segura e de seguir um plano sensato para lidar com os costumeiros padrões de desgaste no cotidiano. Mas talvez não esteja óbvio por que se aprontar para ir dormir é tão importante. Todo mundo sabe que apenas escovamos os dentes, vestimos o pijama ou a camisola, puxamos as cobertas e apagamos a luz.

Não é exagero dizer que, se ao final do dia preparássemos a mente para dormir, poderíamos dominar todas as regras da felicidade. Naturalmente não há motivo para nos limitarmos a essa única forma de esforço, mas a maneira pela qual adormecemos é tão cheia de possibilidades espirituais que bem poderia ser considerada uma espécie de ioga ou caminho da felicidade.

Os métodos que a infelicidade usa para se estabelecer são a retenção e o acúmulo de fatos passados. Como já vimos, um motivo pelo qual as crianças são tão felizes é que elas arrastam muito pouco do passado atrás delas. Chegam ao mundo sem sobrecarga de experiências e livres da ansiedade sobre as conseqüências do que já aconteceu. É difícil fazer crianças de dois, três e quatro anos responderem a qualquer pergunta sobre o que fizeram enquanto não estávamos com elas. Estão tão interessadas no que está acontecendo no momento que consideram isso uma chateação óbvia.

A maioria dos adultos alimenta a fantasia de que suas *proezas* vão se tornar uma parte *permanente* deles mesmos. Costumamos acreditar que nossa identidade é o conjunto do que fizemos e não como estamos no momento atual. É por isso que muitos consideram difícil completar uma transformação pessoal enquanto ainda mantêm um contato próximo com as pessoas que os conhecem de toda a vida. Com freqüência, nossos velhos conhecidos não conseguem ver que estamos mudando de verdade. Estão convencidos de que somos os mesmos, e assim ficam zangados ou desconfiados quando não reagimos do jeito com que estavam habituados.

O medo de errar decorre também da suposição de que nosso comportamento no passado é mais verdadeiro do que o estado mental que apresentamos no presente. Qualquer falha que cometemos se incorpora à nossa identidade e permanece dentro da nossa história para todos verem – jamais como um erro sanável, sempre como um pecado eterno. Inevitavelmente houve um deslize, um lapso ou um fracasso pessoal, e daí em diante passamos a ser um alcoólatra em recuperação, um ex-doente mental ou um mau pagador sem crédito na praça.

Todas essas correlações parecem razoáveis pelo respeito que prestam ao passado, pois como alguém poderia exaltar seus méritos sem também alimentar suas culpas? Mas a ênfase no que passou origina o medo no momento atual. Tudo isso deveria ser óbvio. Entretanto, o que nem sempre se reconhece é que todas as formas de temor trazem um *peso* psicológico para o presente.

Não existe essa história de que as preocupações são *vãs*. As preocupações não são vãs – elas oprimem. O medo exerce pressão sobre o corpo e também sobre a mente. Na época em que a maioria de nós atinge a chamada terceira idade – quando chegamos ao ápice dos esforços que empregamos para construir o melhor passado possível –, já estamos tão vergados com todas as infelizes lições que trazemos conosco que caímos em depressão e desesperança permanentes, como mostra uma visita a quase todas as casas de repouso para os mais velhos. Há quem escape disso, mas não é por acidente.

A relação amorosa – outro exemplo reconhecido de felicidade mundana – se rompe ou entra naquele estágio de insatisfação reprimida quando a *história* da relação passa a ser tudo o que as duas pessoas conseguem enxergar uma na outra. Mais uma vez, são poucos os que não caem nessa situação. Qualquer um pode entrar em um restaurante e com uma precisão cirúrgica apontar os pares casados *há muito tempo*, pela explícita falta de amor que demonstram.

Tenho certeza de que você já passou pela experiência de ouvir pessoas amigas falarem a respeito de seus maridos e mulheres, e, depois, ao conhecê-los, constatou que elas estavam cegas a diversas qualidades de seus parceiros. Você foi capaz de enxergá-los com mais exatidão porque não tinha escolha a não ser vê-los com base no presente, algo que seus companheiros já não conseguem fazer.

> Ninguém é hoje do jeito que sempre foi. Há sempre um certo crescimento e florescimento acontecendo na vida de cada um de nós.

As frustrações nos oprimem, mas aquilo que classificamos como vitória também pode ser igualmente desolador. Por exemplo, a vida talvez se torne muito difícil para quem teve uma grande beleza física na juventude. Há casos em que o corpo parece uma maldição quando suas qualidades atléticas se vão. Antigos presidentes de grandes empresas, políticos do passado, velhos artistas e cantores conhecem bem a sensação de serem vistos como se fossem monstruosidades.

A infelicidade se mantém no controle por ser admitida mentalmente todos os dias, e a porta que abrimos para ela é a preocupação com o que aconteceu. Poucas coisas serão capazes de machucá-lo quando você aprender a livrar a mente do que ela acumulou durante o dia.

Técnicas de libertação

O processo de colecionar erros do passado é inconfundível, mesmo no curso de poucas horas. Logo no início do dia, alguma coisa não ocorre como esperávamos e, sem perceber, carregamos um leve desânimo para a atividade seguinte. Como conseqüência, somos incapazes de executá-la de modo satisfatório, e uma preocupação extra toma silenciosamente seu lugar. Com o passar das horas, torna-se inevitável uma sensação acumulada de desolação e cansaço.

Não se pode recuperar um bom estado de espírito de uma hora para outra, mas podemos conseguir isso aos poucos, usando três ferramentas. Duas delas eu já mencionei: o intervalo programado durante o correr do dia e a pausa entre os compromissos. A terceira é dedicar um período maior ao ato de desligar-se do passado no final do dia.

Mais importante do que os métodos que você usa para espairecer é a sua disposição inequívoca de alcançar esse objetivo. Se você realmente desejar se livrar do passado, encontrará caminhos para fazer isso. Por outro lado, se não tiver muita clareza do propósito das técnicas descritas a seguir ou se não estiver seguro de que é nisso que quer se empenhar, simplesmente não obterá resultados significativos.

O objetivo é tirar da mente todas as coisas inúteis no momento em que você está indo dormir. Um benefício secundário proporcionado por essa prática é diminuir a importância do ego. Um número surpreendente de experiências pessoais malsucedidas reaparece na forma de reações em um determinado dia. Desapegar-se do dia significa também deixar que uma porção do próprio ego se dissipe e assim obter um pequeno, mas permanente, aumento de felicidade. É justamente por causa desse efeito secundário que essa prática é tão profunda.

Programe seu período de desprendimento o mais próximo possível da hora de dormir e procure não fazer nada que possa deixá-lo agitado depois (dar telefonemas, assistir à televisão, fazer planos, discutir). A menos que você esteja de cama, é melhor não realizar essa técnica enquanto estiver deitado, porque sua concentração tenderá a se dividir. Três ou quatro minutos deverão ser suficientes, mas às vezes pode ser necessário um tempo maior.

Reveja o dia calmamente, depois faça um esforço consciente para deixar para trás qualquer coisa que o esteja incomodando, por menor que seja. Você não precisa esperar alcançar a libertação plena, mas é sempre possível obter a sensação tranqüilizadora de que se esforçou para isso.

Experimente um destes quatro exercícios de libertação.

1. Imagine uma pessoa pela qual você tenha um grande respeito vivendo *em seu lugar* o incidente do qual você está tentando se desligar. Ou, se preferir, imagine que ela está revivendo todo o seu dia. Reveja-se nas mesmas circunstâncias, mas como se fosse um amigo chegado, um parente querido, um ser iluminado, Jesus, um santo ou o que mais possa simbolizar um guia de pureza e inocência para você. Não se pergunte como essa figura que você imaginou teria *agido*, simplesmente pense em si mesmo possuindo a serenidade dela enquanto se vê novamente naquela situação. Olhe através dos olhos de paz do seu guia, sinta a aceitação e a tolerância dele, e então se permita simplesmente assistir ao que acontece dessa vez.

2. Pense na pessoa que o aborreceu e faça de conta que pode

ver tudo o que ela passou desde o nascimento. Imagine as condições que ela teve que suportar na vida que possam explicar seu comportamento e torná-lo inteiramente compreensível. Não tente desvendar os fatos reais ou brincar achando que pode adivinhá-los. Apenas relaxe e fantasie o *provável* motivo que teria tornado inevitável o modo pelo qual essa pessoa age.

3. Visualize a pessoa à sua frente e, silenciosamente, à sua maneira, a abençoe. Se preferir, escolha uma destas frases:

"Meu ego não é melhor do que o seu."

"Você apenas cometeu um erro. Eu lhe concedo o perdão por consideração à pessoa em quem você vai se transformar."

"Isso não tem a menor importância. Daqui a alguns anos ninguém se lembrará do que aconteceu."

"Em seu coração está a inocência da criança que você foi um dia."

"Prefiro ter a consciência em paz a esse ressentimento."

"Acredito que é melhor ser feliz do que ter razão."

4. Minha avó tinha um jeito especial de não dar importância às dificuldades, mas eu o menosprezava quando era adolescente. Agora, porém, o prezo e utilizo com freqüência. Houve muitas tragédias em sua longa vida, e, sempre que eu a via durante uma dessas fases, ela me parecia completamente normal. Perguntava-lhe como estava passando, embora soubesse muito bem a resposta: "Não estou preocupada com isso. Entreguei a Deus."

Não procure justificar o que os outros fizeram e não tente reinterpretar o comportamento deles de modo impreciso. Desprender-se mentalmente das coisas não significa admitir que as pessoas agiram de forma correta, mas reconhecer que pensamentos agressivos não são práticos. Eles tornam o clima à nossa volta mesquinho e hostil. Mas o objetivo também não é direcionar a culpa para nós mesmos. Durante essa conclusiva meditação no fim do dia, desejamos devolver à mente um estado de serenidade independentemente do que tenha sido feito por nós ou por qualquer outra pessoa.

Uma boa noite de sono

Embora a insônia possa liderar a lista, existem vários distúrbios do sono que acometem pessoas normais: agitação, problemas de digestão, coceira, medo do escuro, câimbras, sonhos recorrentes, suores noturnos, sono excessivo, bruxismo (ranger dos dentes), entre outros. Muitas vezes o conflito em relação ao sono se deve a uma inquietação por tarefas não concluídas ou a uma vaga sensação de estar negligenciando uma responsabilidade moral.

Há casos também em que o medo é mais generalizado, com uma percepção cada vez maior – agora que mais um dia perdido se transformou em noite – de que os sonhos de toda uma vida jamais serão realizados. Assim, quando se aproxima a hora de ir para a cama, surge a sensação irritante de que alguma coisa nebulosa deve ser esclarecida e que não é certo dormir se há trabalho a fazer.

Em geral, a pessoa não se dá conta desses pensamentos – ela sente apenas uma leve inquietação. Fica andando de um lado para outro e, mais uma vez, acaba não indo se deitar. Repare que esse tempo não é nem mesmo aproveitado para fazer o que precisa ser feito. É simplesmente mais um desperdício que se adiciona a um dia desperdiçado.

Sempre que há um padrão de atraso habitual, pode ter certeza de que existe um conflito com algo que você esteja fazendo. Tal como acontece com o sono, a solução não é, necessariamente, interromper a atividade e sim determinar o que fazer diante do problema. Você não deseja levar esses medos para o seu período de sono e não há necessidade disso.

Depois de ter deixado o dia para trás e libertado a mente de todas as preocupações da melhor forma possível, pare e veja que seu único objetivo – do momento em que você vai para a cama até a manhã seguinte – é descansar tanto a mente quanto o corpo. Isso significa que não há objetivo secundário a alcançar. Diga à sua mente que ela já foi dispensada do serviço e que não existe mais nada com que você queira ocupá-la. Leve suavemente seus pensamentos de volta a uma idéia ou imagem de paz todas as vezes que eles se dispersarem por algum motivo inquietante. Decida-se a não se preocupar com aquilo que está fora do seu controle, pois existe uma coisa boa que você *pode* fazer, e essa coisa é descansar.

O tempo é um luxo. Portanto, se você o tem à disposição, esbanje-o aprontando-se para dormir, repousando e usando-o para suas atividades matinais. A menos que as circunstâncias não permitam, não se sobrecarregue com tarefas à noite nem de manhã. Na cama, seu objetivo é descansar a *mente*, e não forçar o corpo a dormir. Você não deseja travar nenhuma batalha. Suas noites podem ser agradáveis e serão, desde que se ocupe com o que pode realizar, que é deixar a mente descansar.

Pense bem: você não é mais sábio no meio da noite do que será pela manhã. Além disso, não conseguirá tomar decisões importantes sobre o futuro se naquele momento quiser fazer duas coisas ao mesmo tempo – descansar e se preocupar. Você até pode se lembrar de repente de alguma coisa que vai exigir sua imediata atenção. Se for preciso, escreva um lembrete, mas não se ocupe com o problema.

Se perceber que começou a ter uma linha perturbadora de pensamentos, interrompa-a com simplicidade e delicadeza, sem se autocensurar. Depois, volte sua atenção para algo mais relaxante, que não o faça ficar agitado. Tudo que é relacionado ao amor possui um efeito calmante. Lembre-se de coisas engraçadas que seus filhos tenham feito ou imagine-se cuidando do jardim, se é disso que você gosta. Recorde os bate-papos descontraídos com seus amigos ou visualize-se em um lugar maravilhoso que você esteja adorando e onde não haja preocupações.

Certifique-se de não impor limites a si mesmo. Qualquer coisa, física ou mental, que lhe proporcione tranqüilidade será perfeitamente válida. Há quem encontre serenidade em fantasias sexuais, e elas certamente não causam nenhum mal. Outros gostam de imaginar o que fariam se de repente recebessem uma fortuna. Alguns ainda consideram relaxante pensar no que comeriam se isso não lhes trouxesse amargas conseqüências. Esses assuntos não são essencialmente espirituais, mas seu objetivo com essa prática não é restringir-se a uma lista de pensamentos *celestialmente corretos*. Seu propósito é descansar a mente. Então, o que lhe dá tranqüilidade?

Talvez você aprecie recitar um mantra em silêncio ou dizer algumas palavras confortadoras que lhe ocorram no momento. Costumo repetir: "Abro mão de tudo – tudo está em paz." Considero bastante útil listar as pessoas ou as circunstâncias que possam estar me incomodando. Por exemplo:

> "Abro mão do meu carro – e tudo está em paz."
> "Abro mão de alguém (dizer o nome) – e tudo está em paz."
> "Abro mão do meu (cabelo, pé ou de qualquer parte do corpo que esteja me incomodando) – e tudo está em paz."

Pessoalmente, gosto de pensar em palavras de devoção, principalmente à noite quando vou dormir. Sei que muitas pessoas compartilham esse sentimento, por isso dou os seguintes exemplos que uso no meu dia-a-dia:

> "Mergulho em Deus e respiro em paz."
> "Liberto-me do mundo e dissolvo-me em Deus." (Eu me vejo saindo deste mundo e mergulhando em um mar de luz.)

"Não preciso ir a lugar nenhum. Não tenho que fazer nada. Deus está comigo e tudo vai bem."

A única norma apropriada à nossa felicidade é aquela que se ajusta à situação atual. Temos que tratar o presente com seriedade se quisermos permanecer pessoas boas e dignas de confiança. E não existe felicidade sem bondade – seja com nosso corpo, com nossa mente ou com os que nos cercam.

Um último exercício que às vezes consegue me acalmar é fazer uma lista com cada situação, pensamento e emoção que me incomodam. Se tenho alguma dificuldade especial em manter a mente no presente, chego até a enumerar os tópicos. Um toque adicional a esse exercício é observar a respiração sem tentar alterá-la. Ou imaginar Deus ou o universo enchendo e esvaziando nossos pulmões. Essa prática funciona porque a agitação, a ansiedade, a tensão e outras emoções de infelicidade requerem um passado e um futuro em que possam atuar. Para removê-las, deixe a mente descansar no presente, e a tranqüilidade será quase automática. A paz é a própria estrutura da mente e, portanto, seu estado natural.

Quando lidam com um distúrbio do sono, muitas pessoas cometem o erro de entrar em pânico e acabam atribuindo a culpa a alguma coisa. Assim travam batalhas mentais com o parceiro que rouba o lençol, com o relógio ou com a última refeição da noite. Obviamente isso não significa que elas jamais devam adotar qualquer medida simples em relação à qual não sintam grande resistência, como tentar fazer um alongamento, tomar um banho quente, beber um copo de leite morno ou consultar um especialista.

Mas, como muitos já disseram, não ajuda nada lutar contra si mesmo. Em outras palavras: nunca lide diretamente com o ego – o seu ou o de qualquer pessoa –, pois você vai simplesmente fortalecê-lo ao aumentar a confiança que ele tem na própria autonomia.

Como e quando acordar

A parte final da breve preparação para dormir talvez seja estabelecer como vamos acordar. A maioria das pessoas decide *quando* despertar, mas muito poucas decidem *como*. Entretanto, é o modo como vivemos a vida, e não as atividades e pessoas que fazem parte dela, que determina a profundidade da satisfação que alcançamos. Uma vez que isso seja entendido, a necessidade de estarmos sempre mudando as coisas começa a se dissipar.

Não é muito bom esperar até a manhã para escolhermos como vamos acordar. Durante o sono, a mente fica praticamente sob o total controle do ego. Em certo sentido, dormir é sonhar sobre um sonho. É algo duplamente afastado da realidade. É por isso que, ao despertar, muitas vezes precisamos fazer um esforço para ativar nossas regiões mentais mais equilibradas. Esse processo, porém, pode ser mais fácil se soubermos antecipadamente qual será a primeira coisa que planejamos fazer com a mente.

Já mencionamos as várias formas possíveis para os nossos esforços iniciais, mas quero destacar que, por causa da predominância do ego durante o sono, o objetivo já foi estabelecido. Temos que reprogramá-lo se não quisermos levar para o nosso dia os mesmos valores conflituosos que tivemos nos sonhos. É claro que podem existir momentos de iluminação durante o sono e, ocasionalmente, eles são tão poderosos que a mente acorda em um estado elevado. Mas eles não são tão freqüentes quanto as pessoas gostam de acreditar.

Assim como em todos os esforços (incluindo o repouso), tente com firmeza e espere muito pouco de você mesmo. O mundo se empenha em viver a regra oposta e, embora esteja sempre passando por uma nova e promissora mudança, jamais chegou perto da felicidade. Essa não precisa ser sua sorte, pois quando você se concentra nos meios e não nos fins, na sua determinação e não nos resultados, no presente e não no futuro, passa calmamente das frágeis realizações externas para um imenso ganho interior.

CAPÍTULO 10

O trabalho

Reduzindo os problemas

Os próximos quatro capítulos tratam de trabalho, decisões, dinheiro e bens. À parte o corpo e os relacionamentos – temas que vou discutir no final do livro –, é pertinente chamar esses quatro tópicos de áreas típicas de conflito. Sua opinião pode ser diferente, mas pense neles como exemplos, caso contrário você pode achar que deixei de fora vários dos seus problemas favoritos!

Não há nada de errado nessa predileção. Somos todos colecionadores, e nossas personalidades são apenas estojos de amostras. Pensamos sobre problemas, falamos sobre problemas e, claro, criamos problemas. Secretamente, muitas vezes detectamos a insanidade nas preferências das pessoas. Nossas inquietações, porém, são *reais* e nos sentimos ofendidos se alguém não consegue preparar adequadamente nossa encrenca do dia.

No entanto, a maioria das preocupações que temos é tão insignificante que, muitas vezes, não conseguimos nos lembrar do que considerávamos importante na semana anterior. A felicidade de uma família inteira pode ser abalada por uma simples discussão, mas no dia seguinte ninguém consegue chegar a um acordo sobre como tudo começou.

Tenha o mínimo de problemas possível. Esse plano vai ser bem útil para você. O ego precisa de algumas coisas para remoer, mas isso não significa que seja necessário dar a ele todos os tipos de chicletes. Portanto, não é necessário adicionar as quatro áreas mencionadas à sua lista de preocupações pessoais. É muito bom gostar do seu trabalho, tomar decisões facilmente, não ter que falar de dificuldades financeiras (a meta maior) e não se identificar com seus bens. Na verdade, é possível (e também um bom exercício) fazer uma lista bem completa de seus problemas e riscar os que não lhe despertem mais um interesse real. Muita gente se surpreende com o fato de que isso possa realmente ser feito.

Somos capazes de permanecer dentro dos limites das nossas preocupações. Essa idéia era novidade para mim até uns anos atrás, mas eu e Gayle trabalhamos nesse sentido e conseguimos bons resultados. Decidimos demarcar nossos interesses, que hoje se restringem à família, às coisas de que necessitamos e aos amigos mais chegados. Questões como a economia, a religião alheia, o misterioso processo de tomada de decisões do departamento de trânsito e o gosto da população local seja pelo que for estão hoje fora desses limites. Desistimos até mesmo de tentar modificar nossos pais e irmãos, para grande alívio deles – afinal, na melhor das hipóteses, isso era um delírio.

A não ser pelas aplicações gerais, por favor não tome os próximos quatro capítulos como coisa pessoal, a menos, é claro, que você tenha dificuldades nessas áreas. Faça sua escolha entre os pontos apresentados como se estivesse numa sala vazia diante de uma caixa de chocolates sortidos. Espero que as idéias discutidas sejam bastante simples para que você possa usá-las em vários campos da sua vida.

Seu trabalho não diz quem você é

Não me lembro de quantos anos eu tinha quando descobri que, se respondesse *arquiteto* em vez de *bombeiro* à pergunta "o que você quer ser quando crescer?", os adultos reagiam melhor, e ainda me recordo de vagos sentimentos de culpa por não saber o que um arquiteto fazia.

Coisas desse tipo são inofensivas, pois as crianças parecem apreciar esse jogo verbal tanto quanto os adultos. Alguns anos depois, porém, a mesma pergunta pode ser aterrorizante se os adolescentes se sentirem pressionados a acertar na escolha da profissão. A maioria dos pais sabe que as dificuldades dos filhos não têm fundamento, visto que muitos de nós acabamos não trabalhando na profissão em que nos formamos. Nossos filhos jamais devem pensar que optar pela carreira *certa* seja crucial para a felicidade futura.

Acreditando que o que conta são as aparências, a cultura ocidental conclui naturalmente: "Você é o que você faz." A certa altura da vida, a pergunta aparentemente educada "o que você faz?" quer dizer realmente "você é alguém?". Talvez pensemos bastante sobre como responder caso algum estranho nos faça essa pergunta em uma festa. Mas, se tirássemos um momento para observar nossos sentimentos, veríamos que não damos a mínima para a opinião de um desconhecido. Somos capazes de concluir que o modo como uma pessoa ganha a vida revela somente uma informação superficial e insignificante sobre o que ela é, ainda que a busca por sucesso na carreira tenha se tornado uma fonte de grande infelicidade.

Hoje em dia existe um consenso de que qualquer pessoa é capaz de fazer qualquer coisa – para isso, basta que *deseje intensamente*. "Por que então você arranjou um trabalho que é medíocre ou entediante?", pergunta nossa sociedade. Devemos, de alguma forma, ser mais criativos, mais atléticos, mais humanos, mais produtivos, mais prósperos, mais tudo. Nossa auto-estima está tão atrelada à nossa atividade profissional que as empresas – se quiserem ter sua cota de bons funcionários – devem periodicamente renomear os títulos dos cargos, para que o mesmo trabalho passe a soar como algo mais importante.

Chegamos mesmo ao ponto de rejeitar as pessoas por não fazerem mais do que já fazem! Tudo isso é insensato. Por isso, se quisermos ser felizes, temos que nos libertar desse ponto de vista.

> Não somos o *que* fazemos, somos *como* fazemos. As pessoas não deveriam se considerar melhores pelo fato de se envolverem em atividades que causam boa impressão nem de evitarem aquelas que não dão prestígio.

Alguém sabe que é bom quando executa com qualidade todas as tarefas que realiza. Se o trabalho for lavar e passar para uma família pequena, ele não será menos sagrado do que, por exemplo, o de um gerente de pessoal que contrata e demite centenas de empregados em uma grande empresa.

Temos as idéias mais absurdas sobre o que seja um trabalho importante! Por exemplo, que atividade mais grandiosa poderia haver do que se dedicar a ajudar uma criança a ser feliz, a não ter medo de vir a ser um adulto bom e decente? Quantas pessoas essa única criança vai afetar em toda a sua vida? Será que ver a felicidade dessa pequena pessoa é realmente menos significativo do que compor uma música, criar sites, ser requisitado socialmente ou viver de acordo com seu salário?

Simplesmente não existe essa história de carreira. Muitos falam sobre seguir uma profissão como se todos os desvios já tivessem sido mapeados, o destino estabelecido e tudo isso estivesse à espera deles de uma maneira tão sólida e imóvel quanto o prédio da prefeitura da cidade.

Com muito poucas exceções, as promoções em linha reta só existem em instituições como as Forças Armadas, em algumas empresas de grande porte e no serviço público – fora delas nenhum de nós caminha para o seu objetivo com uma precisão tão certeira. Mesmo nas áreas em que isso pode acontecer, uma análise mais acurada mostra uma série de dificuldades. É insensatez pensarmos em *chegar ao topo da carreira*. Não existe uma carreira perfeitamente definida nem um topo verdadeiro.

O único *avanço na carreira* do qual você pode ter certeza é assegurar-se de que está em paz agora a respeito do passo que pode dar hoje. Ninguém é capaz de definir adequadamente todas as conseqüências dessa iniciativa nem de ter em mente todas as pessoas que ela irá afetar, muito menos de determinar com precisão seus desdobramentos na vida de cada uma delas. É pura ilusão pensar que nossa visão é assim tão livre de distorções. Por que, então, tentar resolver intermináveis implicações posteriores quando ainda é impossível fazer isso? Em vez do sonho de um futuro brilhante, por que não estabelecer as verdadeiras possibilidades de um presente satisfatório?

Nada tem que ser decidido antecipadamente

Quando tentamos concretizar uma fantasia no mundo físico, o resultado é bem diferente da realidade. Assim como muitas pessoas, já fantasiei bastante. Minhas imagens mentais de como seria viver como escultor, fazendeiro, professor de ensino secundário, clérigo, corretor de imóveis, conselheiro, trabalhador da construção civil e conferencista itinerante, entre outras motivações equivocadas, foram tão diferentes do trabalho que acabei fazendo que hoje acho graça de ter pensado que pudesse prever como seria minha vida nessas áreas.

Uma fantasia não proporciona uma experiência direta. É por isso que, não importa o quanto nos consideremos pessoas informadas, não sabemos de antemão o que vai nos fazer felizes. Nem existe nenhum motivo para saber, pois é o grau de capacidade que desenvolvemos para apreciar o presente – e não o tipo do trabalho que fazemos – que determina nossa felicidade. Mas isso não significa que não seja preciso tomar muito cuidado na escolha do caminho para se ganhar a vida.

A vontade de antecipar cada movimento que vamos fazer durante longos períodos não passa do desejo atual de lutar para controlar um futuro que não pode ser controlado. Tudo que precisamos fazer é dar os passos que temos que dar hoje e deixar que nosso senso de direção fique mais claro enquanto prosseguimos.

Possuímos também aquela forte tendência de nos metermos em situações difíceis e, depois, pensarmos que devemos atravessá-las até o fim. Confiar nas fantasias e não na percepção do momento contribui bastante para esse padrão. Decidir antecipadamente o tipo de trabalho que merecemos pode causar tanta infelicidade quanto determinar o tipo de filho que gostaríamos de ter, como muitos pais fazem de modo inconsciente. Na mente deles há um padrão progressivo de modos desejáveis, peso apropriado, Q.I. adequado, aparência agradável, etc. Inevitavelmente, a criança não se encaixa em alguma coisa e sente a desaprovação. Devemos aceitar as coisas como são e dar tempo ao tempo.

Relaxe quanto ao seu destino. Permita que cada dia de trabalho chegue até você. Observe-o aproximar-se sem desconfianças. Espere a felicidade surgir de você, mas não tenha qualquer expectativa quanto às suas atividades profissionais. Execute cada tarefa do jeito que ela se apresentar e não a atropele para chegar à seguinte. Talvez não seja possível mudar a tarefa, mas sempre temos a liberdade de mudar a maneira como nos sentimos em relação a ela.

Encontrando um trabalho

Esta discussão, até certo ponto, pode parecer extremamente fria para quem deseja trabalhar mas não encontra emprego. Este é um assunto complexo e difícil, e os fatores envolvidos em cada caso podem variar tanto que qualquer generalização será sempre injusta diante da situação dessas pessoas. Embora existam muitas exceções, acredito que seja possível mencionar determinados aspectos que se aplicam a alguns daqueles que estão com esse problema.

Muitos trilham um caminho bem estreito para conseguir um trabalho. Nem chegam a considerar diversos tipos de ocupação por acreditarem que devem preservar a auto-imagem. Há também oportunidades que não exploram por estarem convictos de que sua escolha está sendo forçada pela sociedade, pela economia, pelas grandes empresas ou por algum outro inimigo dessa natureza.

Assim, essas pessoas decidem se posicionar contra tal arbitrariedade, mesmo que isso signifique sacrificar o bem-estar de suas famílias. "Não vou trabalhar para uma empresa que...", "Não vou a um lugar que...", "Não vou receber ordens de um superior que...". Não precisa ser assim. É claro que nunca devemos fazer o que seja moralmente inadmissível, mas muitas vezes a questão verdadeira não é essa. Simplesmente queremos ter razão a todo custo.

Outro preconceito embaraçoso é dirigido, curiosamente, a nós mesmos. Não são poucas as pessoas que tendem a menosprezar aquilo que elas executam melhor. Essa é uma prova adicional da aversão pelo que é fácil e simples. Nossas áreas de maior potencial são aquelas que normalmente submetemos a um exame mais minucioso. E, se ficarmos procurando por falhas em todos os cantos, com certeza vamos encontrá-las.

Em vez de nos dedicarmos ao que sabemos fazer (que, em geral, é o trabalho que realizamos com mais tranqüilidade), resolvemos procurar uma ocupação mais elevada, que se enquadre na definição corrente de um trabalho *de expressão*. Raramente nos contentamos em simplesmente ganhar a vida, precisamos ter status.

O oposto dessa atitude é também um obstáculo para encontrar uma ocupação, e talvez seja ainda mais comum. O salário, e não a natureza do trabalho, é o motivo dominante. As pessoas sentem-se insultadas ou constrangidas com o salário inicial oferecido e optam por não ter nenhum em vez de aceitarem o que está disponível hoje. Acreditam que, por estarem desempregadas, se encontram em uma posição melhor para se beneficiarem de futuras oportunidades. Mas isso não leva em conta os efeitos positivos de se fazer *alguma coisa*.

Durante trinta anos de aconselhamento de casais, ouvi centenas de vezes esse mesmo tipo de discussão. Uma pessoa dizia: "Um emprego não é melhor do que nenhum emprego?" E a outra respondia: "Não. Se eu estiver nesse trabalho medíocre que você acha que eu devo aceitar, não poderei ser entrevistado para o tipo de cargo que poderia conseguir."

Observando esses argumentos se repetirem durante anos, percebi que quem faz um trabalho subalterno freqüentemente acaba conquistando uma posição melhor mais rapidamente do que a pessoa que espera pelo trabalho *certo*. Mas às vezes quem espera é realmente recompensado mais adiante. Entretanto, acredito que a atitude de tomar a decisão do que fazer no dia de hoje é mais benéfica do que aceitar uma posição que nos mantém presos a uma única opção dia após dia.

Infelizmente, nossos amigos são muitas vezes os que mais nos distraem do nosso próprio conhecimento interior. Como regra geral, você ficará menos confuso, e conseqüentemente perderá menos oportunidades, se resolver por si mesmo se um emprego se encaixa nas suas necessidades atuais. Evite se expor ao conflito discutindo as decisões que tomar – exceto, naturalmente, se o fizer com pessoas que serão diretamente afetadas por elas.

Fortaleça a mente lembrando-se de que é *você* quem está na melhor posição para julgar a validade das suas ações. E, depois que for admitido no trabalho, resguarde-se das angústias da dúvida falando o menos possível sobre os problemas inevitáveis que acompanham uma transição dessa natureza. Poucas pessoas conseguem resistir a uma oportunidade para semear confusão. Então não lhes dê essa chance.

Não tenha medo de seguir seu coração e de guardar para si sua opinião. Não tenha medo de saber. Não tenha medo de duvidar. E não tenha medo de se voltar para a paz dentro de você e de pedir ajuda.

O desafio de conseguir a ocupação certa

Outro obstáculo para encontrar um emprego, embora talvez menos aparente, é a premissa de que a escolha daquele trabalho é permanente. Por acreditar nisso, ficamos angustiados porque, lá fora, outro mais estável e adequado pode estar à nossa espera. O único problema real é localizá-lo. E, no entanto, não existe uma ocupação realmente certa.

"Isso é certo" implica "isso é definitivo". Não devia ser assim, mas é. Quantos de nós conseguimos acreditar que finalmente encontramos o emprego ideal e, mesmo assim, nos sentimos livres para desistir no primeiro dia? Não causa surpresa que a maior preocupação da maioria das pessoas seja evitar cometer um erro. Quem acredita na existência do emprego certo também vai achar que outros são *errados*.

Observe a posição na qual essa atitude nos coloca. Como existe uma ocupação que consideramos melhor, muitos dos trabalhos pelos quais nos interessamos são erros em potencial e, desse modo, nossa vida se assemelha a um passeio por um campo minado. Se já temos um emprego, não conseguimos evitar a dúvida de que escolhemos errado. Pensamos que podemos crer na existência de um rumo certo em determinado campo – no caso, o profissional –, sem acreditar nisso no que se refere a outras áreas.

Como isso é impossível, muitas pessoas também suspeitam de que se casaram com a pessoa errada (o que significa que devem ter filhos errados), de que escolheram o lugar errado para morar (então os vizinhos também são errados) e de que provavelmente comeram a fruta errada no café da manhã. Nenhum de nós consegue ficar completamente imune a essa perspectiva.

> Não existe tirania mais absoluta e terrível do que o medo de estarmos errados. A escolha é simples: podemos tentar evitar todas as falhas ou preferir relaxar.

Na busca pelo emprego, é conveniente abandonar a idéia de que o universo reservou algumas posições iluminadas apenas para você. Dessa forma, pelo menos não ficará assustado com a vaga sensação de que, de alguma maneira, não está lidando com esse desafio do jeito certo. Existem mil caminhos corretos porque existem mil caminhos de paz.

Livrar-se do medo. Esse é o passo inicial que nos dá a visão, e ela proporciona muitas opções que nos permitem identificar as oportunidades para as quais estávamos cegos antes. Não é raro que uma pessoa desempregada se engaje em um trabalho voluntário e, de repente, consiga uma contratação. Outro fato curioso também costuma ocorrer: subitamente surgem várias oportunidades de uma só vez, situação muito semelhante ao exemplo clássico do casal que não consegue gerar filhos, decide adotar e, de uma hora para outra, a criança é concebida.

Vale frisar: não existe lei espiritual agindo nesses casos, mas, uma vez que a mente se liberta do medo, sentimos e vivenciamos uma harmonia maior. E está comprovado que a ação freqüentemente – embora nem sempre – dissipa o medo.

A disposição para agir de modo simples e direto normalmente relaxa o controle da mente sobre os problemas. Não é possível prever com exatidão os resultados exteriores – uma adoção não proporciona automaticamente, em troca, a fertilidade do casal, assim como a realização de um trabalho voluntário nem sempre significa a garantia de uma contratação. Contudo, estarmos abertos para iniciar e prosseguir com pequenos passos quando temos uma dificuldade faz com que ela fique para trás. As manifestações de boa vontade reduzem o conflito interno, e uma mente serena supera qualquer obstáculo.

CAPÍTULO 11

As decisões

Como tomar uma decisão

Nós, seres humanos, temos um jeito bem peculiar de resolver o que fazer na vida. As decisões acontecem muito mais rápido do que a maioria das pessoas imagina à primeira vista. Na verdade, elas são contínuas. Assim, as escolhas individuais não são tão importantes quanto parecem. Mas nossa *atitude* é vital, pois ela estende diante de nós o terreno que devemos percorrer.

Isso não significa que algumas decisões não afetem mais nossa vida do que outras, pois, dependendo de como influenciam o curso externo das coisas, elas realmente deixam sua marca. Entretanto, não interferem em nossa felicidade.

Não é necessário termos um jeito para decidir quais as batatas que vamos comprar e outro para escolher um emprego. A confusão começa porque acreditamos que precisamos ter uma resposta mais perfeita para uma questão de maior envergadura, quando uma resposta que *surja da paz* é tudo de que precisamos.

Talvez a única diferença no modo como devem ser feitas as escolhas relativas a trabalho, divórcio, cirurgias, dinheiro, mudança e outros assuntos que provocam ansiedade é que temos que tomar um cuidado maior para que elas se dêem da *mesma* forma pacífica. Diante de assuntos que nos causam receio, é maior a tentação de cairmos no velho hábito de decidi-los com medo.

Quando resolvemos o que fazer, normalmente consideramos as alternativas. Essa reação está tão enraizada em nós que é difícil até mesmo levantar uma dúvida quanto à sua viabilidade. Se tal atitude significasse uma análise tranqüila das opções, ela não causaria nenhum dano. Mas esse exame não é feito com serenidade e, por isso, *elimina* rapidamente as boas soluções. Precisamos de consciência, concentração e esforço permanentes para romper esse hábito.

Observe que, logo após avaliar as alternativas por alguns momentos, a mente se torna dispersiva e ineficiente. Isso ocorre porque os dados a serem considerados são intermináveis. Sentimos que acabamos de nos sentar em um carrossel que não pára de girar. Temos uma grande possibilidade de nos apavorar, pois estamos ansiosos para escapar dessa armadilha mental. Assim, freqüentemente cometemos um segundo erro. Agimos com base no conflito. E chamamos a isso de ação *decisiva*.

Uma resolução tomada em conflito gera resultados desarmônicos que se somam ao caos mental, ao passo que uma decisão estabelecida por uma mente serena e sossegada não desequilibra nosso centro de felicidade. Uma vez desenvolvido o hábito de resolver todas as coisas com tranqüilidade, a vida – incluindo os relacionamentos, a saúde e as finanças – começa a ficar mais leve e mais simples. Você não terá, como por encanto, vantagens sobre as outras pessoas, mas as circunstâncias externas que são afetadas por suas escolhas vão aos poucos se apaziguar em vez de sabotarem seu desejo de ser feliz.

Para tomar boas decisões precisamos treinar para nos concentrarmos em nosso estado mental e não na questão sem resposta. Enquanto nos detivermos na questão, a mente permanecerá incapacitada de fazer uma escolha voltada para a felicidade. Isso não é algo *inofensivo*, pois a experiência é uma manifestação contínua da disposição mental.

Depois de muita prática, decidir com base na paz passa a ser automático. Desperta menos medo praticar primeiro com as pequenas escolhas diárias antes de aplicar esse novo procedimento às decisões que afetam a vida como um todo, como a escolha de um emprego. Procedendo assim – decidindo com base na paz e agindo com segurança sobre a decisão tomada –, você vai finalmente deixar o problema para trás. Isso é tão certo quanto a luz que dissipa a escuridão.

Decidindo onde estar

Caso você esteja procurando emprego, não cometa o erro de presumir que há um modo de *reconhecer* a colocação que está à sua espera. Fazer isso é achar que pode ser guiado por uma série de sinais proféticos. A seguir mostro como poderia se dar uma atitude como essa.

Chego ao local da entrevista e vejo que a recepcionista a quem já havia sido apresentado está em férias. Por uma milagrosa coincidência, ao conversar com a substituta, descubro que a mãe dela tem um nome incomum que é exatamente o mesmo da minha mãe. É o suficiente para eu pensar: "Ah, isto é um sinal de que este é o emprego que estava reservado para mim." E o mais grave: durante a entrevista, destruo definitivamente todas as minhas chances de ser admitido ao mencionar essa suposição. Na hipótese de ser contratado, poderei ficar temeroso de que não se trate exatamente do trabalho que os anjos estavam me apontando, uma vez que minha interpretação pode não ter sido correta ou que os *sinais* enviados tenham sido incompletos. E essa incerteza continuará atrapalhando meu desempenho até fazer com que me demitam.

Você se sentirá muito mais feliz se assumir que o lugar em que se encontra hoje é exatamente aquele em que deve estar e que o trabalho que você está fazendo é o *certo*. Assim, execute suas tarefas com honestidade. Não lucramos nada com o desânimo nem com a tendência de alimentar a mente com dúvidas. Realizar qualquer coisa bem nunca diminui – ao contrário, só aumenta – nossa capacidade de discernir que chegou a hora de mudar, se essa hora vier.

Com freqüência acreditamos que, para nos afastarmos de alguma coisa, temos primeiro que encontrar algum defeito nela. Se nos demitimos, precisamos criticar o empregador; para terminar um relacionamento romântico, devemos nos decepcionar com o outro; quando queremos deixar uma organização ou um mestre espiritual, começamos a dizer que são perigosos. Mas por que nossa participação em algo deve fazer com que ele pareça bom e nossa saída o torna ruim? Uma pessoa feliz entra e sai em paz.

Com isso não quero dizer que não existam indicadores verdadeiros quanto à conveniência de você trabalhar em determinado lugar ou deixar seu emprego atual. Uma sensação de bem-estar em relação aos futuros colegas de trabalho é uma forma confiável de saber disso interiormente. Mas ela não diz até que ponto você vai avançar, quanto tempo vai ficar empregado ou mesmo se vai ser admitido.

Essa sensação não tem nada de mística – ela é o começo da verdadeira inteligência. É uma sensação mais ou menos como esta: você percebe que sua mente fica sossegada quando pensa naquele lugar e naquelas pessoas. *Não* é uma excitação quanto à sua provável boa sorte. Nem mesmo é um *gostar* das pessoas ou das instalações. Você simplesmente percebe que está confortável com o pensamento de assumir o emprego, que, por ora, é adequado.

O instinto de calma em relação às pessoas e aos lugares pode ser aplicado a outras circunstâncias além do trabalho. Isso não leva a um conhecimento objetivo do mundo, porque uma situação que é desconfortável para uns não é para outros. Nem essa impressão implica discutir e analisar as personalidades ou criar uma *lista negra*.

Estou falando da capacidade de perceber as coisas como elas são no presente e não do hábito cansativo de evitar certas pessoas ou lugares por causa de algum fato desagradável que tenha ocorrido antes. É a compreensão de que um relacionamento, um determinado lugar ou um tipo de situação específica vão tornar mais fácil ou mais difícil para nós sermos felizes.

Quando estiver em um banco, uma loja, uma lavanderia, um posto de gasolina, uma igreja ou na casa de amigos, faça uma pausa mental (e sempre que possível física) e pergunte a si mesmo: "Este é um lugar feliz?" Não verbalize a resposta. Em vez disso, conduza a pergunta para onde você estiver.

Esteja consciente de qualquer tendência para formular uma resposta impregnada pela lembrança do que tenha acontecido ali no passado. Evite também o julgamento que seus olhos fazem das pessoas e do ambiente. Seja sensível apenas ao nível de conforto e desconforto, paz ou raiva, boa ou má vontade – em outras palavras, ao grau de felicidade que o envolve.

O fato de percebermos que não há felicidade em um lugar não significa, porém, que seja mais fácil nos abstermos de freqüentá-lo. Por exemplo, você não ficará mais feliz com a vida se, de repente, parar de visitar seus pais, mesmo que consiga ver que a casa em que eles moram não é feliz e que você sente dificuldades de ir lá.

Tampouco o reconhecimento do clima carregado de um ambiente representa um motivo para temê-lo. Ficando mais consciente dessa atmosfera, talvez você tire um tempo para limpar sua mente de todos os conflitos para que, quando entrar nesse lugar, leve com você seu bem-estar e alegria e, ao sair dele, não carregue nenhuma emoção que possa afetar sua felicidade.

Nenhuma escolha é isolada

As horas de trabalho, a hora em que chegamos em casa para encontrar o parceiro ou a parceira, a hora do jantar e coisas assim são normalmente vistas como ilhas de propósitos distintos ou de escolhas dentro do dia. Essa idéia, porém, torna impossível unificar a vida de alguém. Assim parece razoável nos limitarmos a alguns propósitos-chave em horas-chave. Poderia ser suficiente fazermos uma refeição nutritiva pela manhã, prosseguirmos com o trabalho durante o dia, nos distrairmos à noite e depois termos uma boa noite de sono. Mas essa maneira de encarar a vida desejando a fragmentação – mesmo que mínima – nos impõe uma programação mental que não nos dá garantias de que seremos capazes de estabelecer nossos próprios limites.

Se sua vida é como a da maioria das pessoas, um segmento típico do dia funciona mais ou menos assim: você chega em casa vindo do trabalho e constata que acabou o papel higiênico. Falta ainda uma hora para o noticiário da noite e, segundo seus cálculos, nesse tempo será possível ir até o supermercado e voltar. Você pega as chaves e vai para o carro. Entretanto, ao entrar e girar a chave, o que passa primeiro pela sua cabeça, qual é seu objetivo na vida? É ligar o motor e deixá-lo esquentar para eliminar o risco de desgastar o carro ou é engrenar e sair imediatamente para não se atrasar para o noticiário?

O conflito interno é quase inconsciente, ainda que exista uma leve mas perceptível tendência oculta de culpa quando você escolhe poupar tempo em vez de prolongar a vida do motor e dispara da garagem. Ou uma ligeira fisgada de ansiedade enquanto fica ali sentado aquecendo o motor, vendo os segundos escoarem e a primeira e mais importante parte das notícias começar a se afastar de você como um sorvete de casquinha ao sol.

Se seu marido ou sua esposa está junto e não concorda com a sua posição, um pensamento crítico do tipo "como pude casar com alguém tão mesquinho?" ou "você jamais gostou desse carro porque foi escolhido por mim" vem rapidamente à cabeça dele ou dela, mas não passa completamente despercebido para você.

No primeiro cruzamento, você se pergunta que caminho vai tomar. Seu objetivo de vida nesse momento é proteger sua auto-imagem? Se for, não deve dobrar à direita e ir até a loja de conveniência – mesmo que isso signifique ganhar dez minutos –, porque, da última vez em que esteve lá, você disse ao dono que nunca mais voltaria. Nessa hora, uma decisão *errada* pode provocar um comentário do seu parceiro ou parceira.

Ao se dirigir ao supermercado, será que a segurança física tem prioridade em relação às normas de trânsito? Talvez surja uma leve discussão no carro sobre isso. "Você avançou o sinal vermelho de novo, amor." E a sua resposta: "Não, amor, não avancei. Estava amarelo quando cheguei ao cruzamento." Depois de um longo silêncio, você pergunta inocentemente: "Amor, você conseguiu marcar hora com o Dr... esqueci o nome dele, você sabe quem é, o seu amigo oculista?" Pois, de repente, o objetivo na vida é *ter razão*.

Finalmente você chega ao estacionamento do supermercado e agora seu propósito na vida é arranjar uma vaga perto da entrada. Mas, enquanto está manobrando, alguém pega a vaga na sua frente. Você fica tão furioso que – naquele momento – essa ofensa é mais importante do que a última guerra que acabou de ser anunciada no rádio do carro.

O ponto que estamos sempre deixando escapar é que a vida toda é sempre *aquele instante*. Enquanto ficamos perdidos naquilo que já aconteceu ("Mudaram o papel higiênico de lugar. Por que essa loja está sempre reorganizando seu estoque?") ou no que ainda está para ocorrer ("O noticiário vai começar em 12 minutos e como sempre não há ninguém no caixa"), nossa vida permanece naquele momento, pacientemente, esperando por nós para que possamos reconhecê-la.

A infelicidade de toda essa situação não foi provocada nem pelo dono da loja de conveniência, nem pelo sinal, nem pelo motorista que pegou a vaga. Foi causada pelo mesmo estado mental que continua a nos torturar enquanto entramos na garagem do prédio, por pouco não atropelando o bassê do vizinho, para, no fim, constatarmos que o noticiário foi precedido pelo horário de propaganda política.

Ficamos aborrecidos, mas temos tantos objetivos que nem mesmo sabemos se queremos assistir ao jornal. Jamais paramos por um tempo suficiente para olhar nosso coração e ver. Um propósito verdadeiro é uma decisão tomada com grandeza e não com mesquinhez.

Os erros não são incorrigíveis

Não existem erros definitivos. Se alguma coisa começa como uma decisão equivocada – e até certo ponto tudo o que fazemos talvez tenha início assim –, ela não precisa permanecer dessa maneira. E só depende de nós estabelecer o momento em que uma falha se transforma em aprendizagem.

É importante ter em mente que *mudar* a forma inicial daquilo que suspeitamos ter sido um erro (largar o emprego, divorciar-se, mudar de casa, trocar de carro) não é um primeiro passo indispensável. Não se trata de aprender se a forma que as coisas tomam é boa ou ruim. Já estamos vergados com o peso desse tipo de lições fragmentadas. O progresso na aprendizagem que nos alça a outro patamar de felicidade é a transferência da integridade mental, já reconhecível sob certas circunstâncias, para novas áreas da vida.

Naturalmente isso não significa que não existam mudanças que possam facilitar as coisas. Entretanto, nosso grau de felicidade permanece o mesmo se tudo o que fazemos é alterar as coisas. A primeira reação a uma sensação de insatisfação costuma ser a de começarmos a esquadrinhar a vida para descobrir o que está errado nela. Como nada lá é perfeito, logo encontramos um erro em algo e tentamos mudá-lo, e esse passa a ser nosso objetivo principal. Uma síndrome desse tipo constitui uma parte considerável da atividade da maioria das pessoas – ou elas estão correndo para dar um jeito na última aflição que sentiram ou estão tentando ignorá-la por considerarem o problema sem solução.

A felicidade torna-se muito mais simples quando percebemos que ela tem início com um estado mental forte, pleno e tranqüilo e, depois, muito suavemente, se volta para fora. Sempre que uma mudança acontece, é para tornar nosso caminho mais simples e *não para corrigir as coisas*. Se começamos com um estado mental preocupado, agitado, as transformações que fazemos carregam com elas um ar de angústia e frustração. Tudo o que vemos é que elas, igualmente, não são perfeitas e, mais uma vez, damos início a uma busca desarticulada de mais coisas para consertar. Ou então viramos as costas a tudo e morremos um pouco.

Não deixe seu *modo* de vida ser o *objetivo* da sua vida. Faça bem seu trabalho, na verdade faça-o magnificamente, mas não o tire do contexto nem o transforme na meta da sua busca. Isso também se aplica à sua saúde, ao seu carro, às suas roupas e à sua reputação. Se quisermos ser felizes, nosso propósito tem que permanecer o mesmo – em qualquer circunstância.

CAPÍTULO 12

O dinheiro

Para que serve o dinheiro?

O mundo emite duas mensagens básicas sobre o dinheiro. A primeira: nada é mais desejável. E a segunda: que vergonha, não devia ser assim. Então sempre queremos ter mais dinheiro, mas sempre nos sentimos culpados.

De todos os assuntos em que a mente pode se fixar, o dinheiro é um dos mais infelizes. "Eu podia ter um pouco mais" é uma sensação que gera angústia em quase todos os corações. Poucos não foram afetados por todas as contradições e pela culpa que cercam esse tema.

Lembro-me bem da primeira vez em que percebi como a preocupação com dinheiro pode causar infelicidade. Soube, ainda bem pequeno, que tinha três parentes muito ricos. As questões sobre quem herdaria o quê eram sempre discutidas acaloradamente pela família. E foi assim que começaram minhas fantasias.

Até mesmo as crianças bem pequenas conseguem reconhecer que esses pensamentos não levam a nada. Para fantasiar sobre esse tipo de coisa, temos que desejar que alguém morra e que não haja outros beneficiários. Em seguida, naturalmente, surgem os sentimentos de culpa quanto a *merecermos* ganhar um monte de dinheiro dessa maneira.

Talvez você já tenha notado como as pessoas podem ser insensíveis quando se trata de dividir os bens: criam situações embaraçosas e disputam os móveis e as jóias do morto em um processo que dá origem a rancores e humilhações capazes de durar por toda a vida. Mas essa é apenas uma das numerosas conseqüências patéticas da fascinação desmedida que nossa cultura tem pelo dinheiro. Existem também as táticas que muitos são tentados a usar para obter uma promoção, o jeito perverso como exibimos nossas aquisições diante dos amigos e os anos que deixamos de conviver com as pessoas que amamos porque estamos à procura do... quê?

Essa é a questão central sobre o dinheiro que continua sem resposta: para que ele serve? Acreditamos que jamais temos o bastante, que precisamos conseguir mais de alguma forma e que só vamos descansar quando possuirmos mais do que o suficiente. Mas quanto é *mais do que o suficiente?* E essa idéia tem mesmo algum significado? O fato é que o objetivo almejado é tão vago que não existe um caminho pelo qual possamos alcançá-lo um dia.

O que é ruim não é o dinheiro, mas o fato de o desejo por ele não ter um ponto de chegada. Quase todo mundo, porém, precisa de algum dinheiro. E assim a incapacidade de perguntar "para que ele serve?" pode levar a outra predisposição infeliz: à crença de que o dinheiro contamina; que é, na melhor das hipóteses, um mal necessário, e que abrir mão do maior número possível de símbolos de prosperidade torna a pessoa melhor de algum modo.

> O dinheiro é apenas um modo, um meio, um caminho. Perguntar "para que ele serve?" coloca-o novamente no contexto.

Diferentemente das pessoas, o dinheiro é aquilo que ele faz. Sua utilidade ou inutilidade não podem ultrapassar o diminuto círculo de coisas que ele é capaz de nos proporcionar. E ele não pode comprar tudo. Muito da decepção causada pelo dinheiro decorre de sua associação com outras coisas, como o amor-próprio, a felicidade futura, a descoberta de um amor verdadeiro, o desejo de ser um vencedor.

Sem medo do dinheiro

Existem tantas pessoas ricas que são claramente infelizes que esse reconhecimento pode levar à conclusão de que, se abrirmos mão do dinheiro, diminuiremos nossas chances de sermos infelizes. Mas como a redução das nossas opções financeiras poderia nos propiciar algo de valor? O antigo ditado de que o amor ao dinheiro está por trás de grande parte da maldade do mundo é verdadeiro – mas ali também estão a aversão e o temor ao dinheiro.

Será que abrir mão do emprego e tornar-se um pedinte leva à paz de espírito? Quem faz isso normalmente fica tão obcecado com a satisfação das necessidades básicas que sua mente afunda no mundo em vez de pairar acima dele. Buscar mais do que o suficiente ou menos do que é preciso não resolve a questão do dinheiro. Só haverá algum progresso quando o medo em relação a esse assunto diminuir.

Uma boa regra geral poderia ser: *o dinheiro não é importante; portanto, faça qualquer coisa que lhe permita não se preocupar com ele.* Muitos problemas podem ser resolvidos se aceitarmos uma solução diária em vez de continuarmos a perseguir uma que seja conclusiva.

O trabalho, ainda que possa consumir quase metade da vida de alguém, é um excelente caminho para diminuir a ansiedade sobre a fonte de renda para viver. Muitas das alternativas às quais as pessoas recorrem, tais como planejar esquemas para enriquecer rapidamente, casar-se por dinheiro, jogar ou viver à margem da lei causam muito mais medo do que simplesmente ir trabalhar todos os dias. É claro que é possível conseguir quase num piscar de olhos mais dinheiro do que se poderia gastar durante toda a vida. Mas, a não ser por alguma herança ou por sorte na loteria, isso é tão contrário ao curso normal dos acontecimentos que as pessoas acabam perdendo mais tempo – e ganhando mais motivos para preocupação – quando tentam enriquecer rapidamente.

Atualmente há uma crença generalizada de que "Se você relaxar e confiar um pouquinho, de algum jeito tudo vai se resolver. E, se por acaso não houver solução, verá que isso também foi uma coisa boa". Essa pitada de sabedoria é verdadeira, mas não da forma como normalmente é aplicada. O que está implícito aqui é que existem caminhos, principalmente mentais ou espirituais, para que os nossos desejos físicos sejam atendidos sem precisarmos seguir os procedimentos normais.

Conseqüentemente, vemos muitas pessoas vivendo sem fazer nenhuma economia sem que tenham uma idéia clara do destino que dão ao seu dinheiro, ou abrindo mão dos empregos e esperando ansiosamente que Deus ou o universo cuidem delas. E pode até mesmo existir um tempo no qual tudo isso pareça funcionar maravilhosamente bem. Descontadas, entretanto, as vezes que elas têm que correr para conseguir algum dinheiro ou, em alguns casos, agüentar o medo quase incessante do futuro.

Não podemos ter a esperança de estabilizar a vida se existe um padrão inerente de medo já estabelecido. A verdade é que uma consciência diária de economia é mais proveitosa do que uma consciência diária de desperdício. É impossível contribuirmos para nossa felicidade destruindo o que consideramos verdadeiro.

Para alcançar o grau de felicidade que a tranqüilidade pode proporcionar, não devemos ficar ansiosos quanto à questão de como podemos satisfazer nossas necessidades. Conduzir os negócios de maneira segura e gastar o dinheiro criteriosamente não podem ser obstáculos à nossa capacidade de desenvolver uma fé maior ou de circular com facilidade pelas circunstâncias da vida. Uma fonte estável de receita tem menos probabilidade de gerar conflitos mentais do que uma fonte instável. Essas idéias não são um apelo a sacrifícios e restrições, e também ninguém precisa se transformar em um mercenário. São apenas um chamado à simplicidade e à inteligência.

Não existe nenhuma mágica em relação ao dinheiro. Somos capazes de resolver o problema de ganhá-lo e de guardá-lo sem recorrer a truques mentais ou regras misteriosas. Não precisamos implorar ao Divino para ficarmos em paz com nossa conduta financeira. Mas também deve ficar claro que não podemos nos separar das dificuldades financeiras. O caos nessa área ativa a parte de nós que tem medo, restringindo assim a verdadeira felicidade.

Livrando-se do padrão crônico

Como discutimos anteriormente, as duas atitudes dominantes do mundo em relação ao dinheiro são: ele é maravilhoso e ele é um mal. Embora contraditórias, são apenas lados diferentes do mesmo enfoque distorcido, e poucas pessoas conseguem manter-se imunes a essas duas perspectivas. Ou seja, ao mesmo tempo em que despendemos um esforço para ter cada vez mais, nos sentimos culpados com o que conseguimos e, inconscientemente, tentamos nos livrar do dinheiro. Enquanto o enfoque não muda, esse padrão permanece inalterado, seja qual for a quantia que surja em nosso caminho.

Talvez você já tenha notado que entre seus amigos há aqueles que tendem a ser sempre pontuais ou sempre atrasados, e muitas vezes até é possível calcular em quantos minutos eles vão chegar. Os que normalmente se atrasam 20 minutos continuam se comportando assim, ainda que suas desculpas variem cada vez que isso acontece. Raramente essas justificativas são o fator principal do atraso. O valor que eles dão ao tempo determina o modo como o utilizam, e esse padrão não se modificará até que o próprio valor se transforme. Quando eles começarem a reconhecer que o tempo pode ser um fator de bondade, serão mais cuidadosos com a hora da chegada.

Isso também é verdade quanto aos hábitos de consumo.

Um jovem casal em início de vida costuma estabelecer rapidamente o padrão de guardar uma certa percentagem do que ganha ou o de se manter em um determinado nível percentual de endividamento. Embora a receita deles possa aumentar substancialmente ao longo dos anos, o índice, em ambos os casos, não vai variar muito. Se, de repente, começar a entrar algum dinheiro extra, o *sistema* financeiro do casal passará a absorvê-lo. Assim que deixar de entrar – e esse dinheiro poderá acabar em um tempo extraordinariamente curto –, o padrão que existia antes será novamente retomado, seja o da poupança, seja o do endividamento.

Embora a forma como desejamos as coisas externas possa mudar a qualquer momento, o desejo em si permanece o mesmo até que ele próprio seja questionado. Isso funciona tanto para o desejo por mais dinheiro quanto para o de se ver livre dele. Quase sempre é por ambos, e o grau em que um compensa o outro determina se a pessoa se mantém em uma situação de certa pobreza ou de relativa riqueza, se possui o suficiente para adquirir supérfluos ou se está apenas em um nível remediado – e nenhum desses patamares é bom ou ruim. O problema não está no resultado gerado por aquelas duas atitudes conflitantes, mas no valor positivo ou negativo atribuído ao dinheiro, visando ao bem-estar pessoal.

Tire alguma coisa do contexto e a dificuldade começa. Se temos um problema recorrente de dinheiro, certamente é porque de alguma forma escolhemos isso. Só o fato de ver a questão dessa forma já ajuda muito, pois assim não somos tão rápidos em culpar alguém ou algum conjunto especial de circunstâncias pelos motivos que causaram a dificuldade *dessa* vez.

O fim das novelas financeiras

Quando iniciam um processo de auto-aperfeiçoamento, muitas pessoas cometem o erro de optar pela voz raivosa que há dentro delas em uma tentativa de provocar mudanças de comportamento. Mas essa raiva de si mesmo, ainda que moderada, não motiva verdadeiramente. E geralmente explode contra a pessoa. Ela pode, no máximo, ter um efeito temporário porque provém do lado da natureza humana que valoriza o conflito e a agressão. Do conflito surge o sofrimento, e ele só pode nos atingir até certo ponto. Uma mudança duradoura deve estar baseada na felicidade. Um novo rumo deve ser recompensador e satisfatório ou será posto de lado.

As sugestões relacionadas a seguir destinam-se a aumentar a percepção – sempre o primeiro passo da cura – e permitir que você alcance um nível que interrompa o comportamento destrutivo. O objetivo desse procedimento não é investigar causas psicológicas profundas, mas abrir a mente a possibilidades práticas.

- Em primeiro lugar, a meta é aumentar a percepção quanto à sua atitude em relação ao dinheiro em geral. No decorrer do dia, comece observando exatamente o que está acontecendo à sua volta e dentro de você assim que sentir a mais leve excitação ou um receio em relação às finanças. Preste mais atenção quando fizer uma compra, pagar uma conta, assistir a um programa sobre finanças na TV, controlar o talão de cheques ou for ao banco. Exemplos do que você pode estar pensando:
  "Quando pego minha correspondência, sempre abro primeiro as contas."
  "Sinto aversão e ressentimento em relação às pessoas que dirigem carros modernos, último tipo."
  "Quando estou preocupado com alguma coisa, relacionada ou não a dinheiro, o serviço sempre parece ruim e deixo uma gorjeta pequena."
- Depois de praticar por alguns dias, feche os olhos e pense nessas experiências de um modo geral, assim como em

quaisquer situações relativas a dinheiro que venham à sua mente. Permita simplesmente que várias cenas passem por sua percepção, tanto de observações recentes quanto de acontecimentos do passado.

- Enquanto isso, tome consciência do seu grau de ansiedade e preste atenção especial nas imagens que mais o incomodam. Você não está procurando por um ou dois momentos difíceis, mas por um padrão, uma infelicidade recorrente em sua vida. Por exemplo:

  Sentir necessidade de oferecer coisas de valor monetário como tentativa de consolidar relacionamentos.

  Ficar periodicamente sem dinheiro e suar para consegui-lo.

  Economizar sempre, ser cruelmente sovina.

  Tomar porres monumentais, especialmente quando se sente infeliz.

  Ter sentimentos recorrentes de superioridade ou de inferioridade baseados no dinheiro.

- Escolha um dos padrões que você adota, de preferência o mais arraigado e que mais absorva seu tempo, e pergunte-se em que contexto ele se manifesta. Em outras palavras, quais os tipos de pensamentos, sentimentos e circunstâncias que precedem e envolvem a manifestação desse padrão? Por exemplo:

  Quando estou fisicamente cansado e desanimado.

  Depois de ter imaginado como uma pessoa realmente bem de vida viveria.

  Enquanto estou comprando roupas novas.

  Quando estou em público e imagino que esteja sendo julgado.

- Seu objetivo com este exercício não é fazer uma análise profunda, mas simplesmente procurar por alguma coisa óbvia que seja o estopim desse padrão. Talvez você perceba que normalmente gasta demais logo após uma discussão com seu marido ou com sua mulher. Ou que tenha uma reação exagerada quando recebe muito dinheiro de uma só vez, como, por exemplo, no dia do pagamento. Enquanto reflete sobre cada exemplo, preste atenção em qualquer coisa que tenha sentido ao vivenciar esse problema, ou imediatamente antes disso. E certifique-se de fazer tudo isso sem nenhuma autocensura. Você está apenas observando, só recolhendo informações.

- Usando uma técnica mental de relaxamento ou qualquer outro procedimento que deseje, acalme o corpo e a mente e descanse por alguns segundos.
- Agora, pergunte a si mesmo se existe alguma maneira descomplicada de superar as circunstâncias que acionam o problema. Você não está necessariamente interessado em descobrir como mudar as circunstâncias, mas apenas em perceber como evitá-las. Por exemplo, se você freqüentemente gasta mais do que deveria quando vai ao shopping (o que não acontece quando vai a uma loja de rua), uma maneira de evitar o gatilho fica óbvia: compre em lojas que não estejam dentro desses centros. Você não está estabelecendo nenhuma regra. É só uma idéia sobre uma possibilidade.
- Descreva outras maneiras pelas quais possa evitar ou neutralizar as circunstâncias que aparentemente dão origem ao padrão. No início, ao pensar sobre elas, pode ser útil abrir a mente a opções ridículas e excêntricas e, depois, procurar acrescentar algumas medidas que sejam mais razoáveis.

  "Poderia fingir que sou cego, usar uma bengala branca e pedir a alguém que me levasse diretamente à loja. Só abriria os olhos depois de entrar."

  "Enquanto caminhasse, poderia estudar o piso do shopping – os materiais empregados, as partes arranhadas, as cores, os revestimentos, etc."

"Poderia comprar tudo pela Internet."

"Poderia dar alguns telefonemas e fazer uma lista de todos os lugares que oferecem o que desejo e que não estejam em shoppings."

"Poderia combinar duas ou três dessas opções."

- Sentado tranqüilamente, com todo o tempo de que precisar, pergunte-se o que deseja fazer agora a respeito desse problema. Lembre-se de permitir a si mesmo optar por qualquer coisa, então se resolva a dar um único passo – não um passo infalível, não uma atitude que você espera que vá resolver tudo para sempre, mas simplesmente uma iniciativa que tenha chances de melhorar algo. Elabore um plano que você tenha possibilidade de cumprir. Ponha-o por escrito, talvez como um contrato firmado consigo mesmo. Assine-o. Depois experimente.
- Continue tentando novas medidas até superar esse comportamento. Escreva as datas e as medidas adotadas e os resultados obtidos com cada uma delas. Por fim, registre a data quando acreditar que o problema já foi resolvido. Você não precisa estar absolutamente certo de que conseguiu, mas é necessário que tenha pelo menos uma sensação de honestidade no momento em que estiver fazendo essa última anotação.

O dinheiro é uma questão de percepção. A solução definitiva para a maioria das dificuldades financeiras é vê-las com bastante honestidade para que a mente possa focalizá-las calmamente e decidir o que fazer.

CAPÍTULO 13

Os bens

A simplicidade interior

Para que serve o dinheiro se não há sinais dele em sua vida? "Se você o conseguiu, exiba-o."

É assim que o mundo pensa. Não adianta ter dinheiro para deixá-lo parado num canto como um gato que comeu demais. Para extrair do dinheiro o valor que ele nos confere deve haver uma prova forte e visível de que ele é um poder que exercemos pessoalmente. Deve ser alguma coisa que possamos contemplar em momentos reservados, que nos faça sentir amorosos e enlevados, como os retratos de filhos e netos.

Pode ser umas férias extremamente agradáveis em um lugar paradisíaco ou o último modelo do celular mais sofisticado, do automóvel mais chamativo, da câmera digital ou do computador de pulso. Também pode ser o hábito de saborear os pratos mais refinados em restaurantes de luxo. Ou simplesmente ser ouvido e respeitado quando o assunto é negócios. Serve até mesmo desfilar com um marido ou uma mulher deslumbrante. Do contrário, nos sentimos enganados.

Parece que o dinheiro nos chama para que o transformemos em alguma *coisa*. Acreditamos ser uma tragédia que ele continue apenas sendo dinheiro. Da mesma forma, se ele tiver se tornado importante para nós como um símbolo do que evitar, essa atitude deve igualmente ser demonstrada. Talvez com uma aparência esquelética e móveis de segunda mão, roupas simples, alimentos cultivados no quintal, cabelos desgrenhados ou com um desprezo especial por grifes e pequenos restaurantes franceses. Por esse ponto de vista, o dinheiro tem que se revelar como um sacrifício nas escolhas. Também nesse caso é inaceitável que ele seja somente dinheiro.

O desejo de ter cada vez mais (ou seu corolário, o desejo de se privar de tudo) tem raiz na crença de que "aquilo que você vê é o que você consegue". Mas a forma não é tudo. Ela só tem valor enquanto serve aos interesses do seu conteúdo. O conteúdo, sim, é tudo, e a simplicidade interior é o suspiro permanente de alívio de que isso tenha sido reconhecido.

As pessoas que alcançaram um estágio avançado de felicidade levam, invariavelmente, uma vida simples. O ambiente doméstico em que vivem e seus assuntos pessoais estão livres da confusão e da desordem. Sua alimentação nada tem de sofisticada, vestem-se sem luxo e seguem uma rotina harmoniosa. Se a compaixão exige que abandonem qualquer uma dessas coisas, conseguem fazer isso de um modo fácil e rápido porque, para alguém verdadeiramente feliz, a simplicidade não é apenas mais um fetiche, é um estado interior permanente.

Sempre que temos medo, ficamos até certo ponto tensos e intratáveis. É por isso que uma abordagem difusa da vida é rígida. Mas muitos não reconhecem isso. Pensam que acumular é um prazer, que comprar uma lista interminável de coisas que não desejam e não podem usar significa a verdadeira liberdade. Ou então cometem o erro semelhante de se afastarem, por medo, de todos os sinais de riqueza.

Uma outra palavra para simplicidade é *clareza:* uma profunda clareza interior sobre o propósito e o caminho a seguir. Agora há espaço para ver. A simplicidade é libertar-se do lixo mental e emocional. No coração há lugar para amar e apreciar. A simplicidade é também sincera e direta. É o caminho descomplicado, o passo tranqüilo, e essa suave ordem interna se expressa externamente pela abstenção instintiva do excesso ou de sua contraparte, o despojamento e a privação auto-impostos. Entretanto, como a simplicidade é uma condição que vem do coração, não existe um modelo de como ela aparece no estilo de vida de alguém.

A simplicidade do coração exerce um efeito tranqüilizador no ambiente em que a pessoa vive, mas as formas de manifestá-la variam. Não há regras para determinar quantas mudas de roupa deve haver no armário, se alguém tem que possuir uma máquina de fazer iogurte ou se seu casaco de pele, que pertenceu a um antepassado, é imoral.

Todos os bens estão sujeitos à deterioração. As cerdas das escovas de cabelo e de dentes se quebram, os carros caem aos pedaços, os peixinhos morrem, os tênis de corrida ficam gastos e os vizinhos que vêm junto com sua casa nova de campo o pressionam ou para manter a grama aparada ou para que a arranque e revista o terreno com lajotas vermelhas.

Embora esses sinais que acompanham cada nova aquisição sejam muito óbvios para passarem despercebidos, quase nunca lhes damos importância enquanto nos ocupamos do trabalho supostamente feliz de acumular cada vez mais coisas. E ainda ficamos imaginando por que não conseguimos atravessar um só dia em paz.

Nunca parece ser a intrínseca natureza dos bens o que chama nossa atenção. Percebemos somente o último sintoma. Assim, quando de repente a geladeira começa a fazer um barulho esquisito, pensamos que tudo de que precisamos para que a vida volte a valer a pena é conseguir alguém que a conserte. E é claro que temos que cuidar disso.

Mas o que vamos fazer? Seguindo a recomendação do técnico, que demonstrou ser digno de confiança ao aparecer depois do quarto telefonema e de algumas ameaças, compramos uma geladeira nova, último modelo, com um *dispenser* automático de água e gelo no lado externo da porta. Agora existem mais coisas para dar errado do que antes. Mas a geladeira está ali tão reluzente no canto da cozinha que nem pensamos nisso até algumas semanas depois, quando o dispositivo automático se recusa a pôr o gelo no recipiente e aquele técnico nos diz agora que não está habilitado a trabalhar com um modelo tão avançado.

A casa é um refúgio?

Estamos sempre tão tiranizados pela nossa casa que não podemos nos sentir confortáveis dentro dela. Entramos em um cômodo e tudo o que vemos é uma série de erros. O ambiente é decadente e não sabemos bem o que fazer. Nossa mente está cheia tanto de receios quanto de sugestões de decoração. De certa maneira, não temos uma casa de verdade porque não temos certeza para o que serve esse lugar em que vivemos. Uma vitrine do nosso talento e criatividade? Um exemplo da nossa percepção da energia? Um mostruário da nossa riqueza? Ou simplesmente um local para dormir?

Queremos sentir de verdade que somos bem recebidos por nosso próprio lar. Desejamos que ele seja um lugar de relaxamento e repouso. Queremos ser capazes de ir *para casa*. Mas, enquanto a virmos com os olhos da ansiedade ou da reprovação, isso não será possível.

Uma das várias soluções desastradas dessa dinâmica é começar a negligenciar as coisas que possuímos porque de repente resolvemos: "Não ligo mais para essas coisas materiais. Estou além disso tudo." É verdade que, graças a isso, dedicamos muito pouco do nosso dia a manter e consertar o que é necessário, mas a aflição subjacente que sentimos por rejeitar nosso amor pelas coisas que nos cercam nos toma muito mais tempo do que prestar atenção ao que está acontecendo na casa e agir para conservá-la.

Nosso lar é um coração aberto que reconhece facilmente o que contribui para o nosso bem-estar ou simplesmente para complicar nossa vida. É muito fácil desenvolver um gosto verdadeiro pela casa ou pelas coisas simples se agirmos em curtas etapas.

Do que você se cerca?

Quando estamos aprendendo a ser felizes, a mente está em um estado vulnerável. Somos mais afetados pelas coisas que nos cercam e pelo quanto elas combinam com nosso sentido de ordem e limpeza do que podemos imaginar. Assim, até que aprendamos a ver, talvez seja melhor olhar para poucas coisas.

Raros são os que sofrem de austeridade progressiva. A doença comum é a acumulação exagerada. Assim, é importante considerar o número de coisas que estão ao seu redor e também se a lembrança de cada uma delas lhe causa satisfação. Esses dois aspectos têm a mesma influência. Se a sua sensação geral é de que há excesso ou de que existem lugares em que as coisas estão amontoadas – e se acreditar que isso acontece em parte porque você tem sido negligente –, é pouco provável que não se sinta oprimido por todo esse acúmulo e mentalmente confuso pela desordem que ele cria.

Relaciono a seguir algumas diretrizes que muitas pessoas consideram de grande utilidade para clarear a mente. Ao dar início a uma ampla mudança exterior, uma boa regra geral é começar com passos pequenos e fáceis.

- Sente-se em silêncio no cômodo menos importante de sua casa.
- Olhe à sua volta. Observe o que está atrás, debaixo e acima de você. Esforce-se para assimilar cada coisa sem fazer nenhum julgamento. Olhe para esse cômodo como se você não o conhecesse e *veja-o* realmente pela primeira vez.
- Relaxado, e agora com os olhos fechados, absorva o *clima* à sua volta. Certas áreas dão a impressão de estarem entu-

lhadas? Algum canto precisa de limpeza? Percebe infelicidade ou tristeza em volta de determinado objeto? Existem lugares que lhe parecem confortáveis?

- Repita esses passos em outro cômodo. Preste atenção em qualquer vontade de modificá-lo – fazer uma limpeza, jogar algo fora, realizar consertos. Quando perceber um impulso desse tipo, tente descrevê-lo ("Minha vontade é pegar esse tapete velho e imundo e queimá-lo").

O objetivo desse exercício não é fazer você desenvolver uma paranóia sobre os cômodos em que esteve ou reforçar sua opinião contra certos objetos. Nem pretende lhe atirar em uma torrente de mudanças. É difícil assimilar que nossas observações não demandam uma ação automática. Estamos acostumados a converter cada coisa que percebemos em uma atitude, ao passo que não há necessidade de fazer nenhuma mudança até que esteja bem claro dentro de nós que essa ação vai acrescentar algo à nossa estabilidade mental. Até que tenhamos certeza, é melhor esperar com calma. Todas as ações ambíguas provocam conseqüências tumultuadas. Da mesma maneira, o ato de nos descuidarmos não leva a nada porque a inércia, quando motivada pelo medo, também produz efeitos destrutivos.

- Feche os olhos e imagine-se executando apenas uma das alterações que lhe parecem possíveis. Projete no futuro como as coisas serão enquanto você as modifica e após a conclusão da mudança. Visualize cada pessoa e todas as coisas que serão afetadas. Não se preocupe com a exatidão dessa imagem, pois é claro que ela não será perfeita. Seu objetivo não é fazer uma profecia, e sim passar por um processo mental que lhe permita visualizar seu estado de paz *agora* no que se refere a realizar essa mudança.

- Continue com os olhos fechados e imagine-se *não* fazendo a mudança. Pense nas conseqüências que isso pode gerar.
- Agora se pergunte silenciosamente qual é sua preferência pacífica, o que você deseja fazer. (Você deve ter percebido que não estamos falando de certo ou errado, porque as bases sobre as quais esses conceitos estão assentados mudam constantemente. Isso é certo do ponto de vista financeiro ou estético? É certo para você ou para o seu companheiro? E assim por diante. Não existe nenhuma "clareza" no "certo". Mas é bem simples reconhecer nossa preferência pacífica.)
- Repita esses passos nos cômodos restantes da sua casa, em seu local de trabalho ou em quaisquer outros ambientes em que estejam seus objetos pessoais. Desta vez, faça somente uma mudança em cada área. Para ter uma idéia clara do que você está sentindo em cada um desses lugares talvez seja necessário dividi-lo em unidades menores (o guarda-roupa, a cômoda, a geladeira, o porta-luvas).

Não se deixe enredar pela excitação de executar alguma mudança potencial. Jogar as coisas fora não é mais benéfico ao nosso bem-estar mental do que o ato de adquirir ainda mais.

Uma vez que tenha se envolvido mentalmente com o conjunto de seus bens (roupas, ferramentas, quadros, livros, artigos de beleza, cartas, etc.) e conheça suas emoções a respeito disso tudo – não só de cada item, mas também em relação à quantidade de coisas que lhe pertencem, o modo de guardá-las e de tomar conta delas –, então você estará pronto para começar a impor a elas seu sentido de simplicidade.

- Sente-se no lugar pelo qual você resolveu começar. Olhe para ele com honestidade. Absorva o clima à sua volta. Tenha consciência das áreas ou coisas que o perturbam. Considere o primeiro bem, se possível um com o qual você não se incomode tanto, e faça-se as seguintes perguntas:

"Ainda uso isso?"

"Ainda estou cuidando disso?"

"Se não estou cuidando desse objeto nem o utilizo, por que receio me desfazer dele?" (As respostas podem ser: "Talvez venha a usá-lo algum dia", "Talvez magoe quem me deu", "Isso é caro e não poderei recuperar seu valor".)

- Se ainda não tiver certeza de que deve ou não guardar esse bem, feche os olhos e projete no futuro as duas situações: mantê-lo e não mantê-lo. "Como a vida seria sem isso amanhã, no dia seguinte, na próxima semana?" Depois: "Como seria a vida com isso ainda aqui amanhã, no dia seguinte...?"
- Agora se pergunte: "Que modo de agir será mais proveitoso para minha paz *atual?*" Um cenário vai lhe parecer mais tranqüilo do que o outro.

A resposta não vai lhe garantir que no futuro seu ego estará feliz com a decisão que você tomou hoje. Mas agora não está claro que é o medo do futuro que faz com que guardemos tantas coisas que na verdade não desejamos?

Para vivermos felizes, devemos aprender a confiar mais na paz que sentimos no presente do que nos ditames das nossas ansiedades. Comprar excessivamente, acumular coisas, viver na desordem e em uma confusão crônica, etc. são conseqüências de decisões tomadas com base no medo. Uma abordagem mais tranqüila da vida não elimina todos os erros nas bases em que normalmente os julgamos – por exemplo, jogar fora alguma coisa e mais tarde nos lamentarmos por essa decisão –, mas permite que sejamos felizes agora, e esse momento jamais desaparece.

CAPÍTULO 14

O corpo

Aceitando o corpo como ele é

Como muitos já destacaram, a atual preocupação mundial com o corpo beira a histeria. Já foi dito que alcançou um estado de "frenesi diabólico, melancolia lastimável e loucura alucinada". Corpos delgados, corpos jovens, corpos *sarados*, corpos repletos de pêlos (nos locais certos), corpos superenergizados, corpos bronzeados, corpos que inspiram poder, corpos que não aparentam a idade, corpos que podem correr distâncias impressionantes... Essa confusão de imagens bastante divulgadas pelos meios de comunicação criou uma sensação quase perfeita de irrealidade sobre uma máquina muito comum e não tão durável. Algo que todo mundo possui e quase ninguém consegue ver. Muito simplesmente, passamos a ter medo de nos olhar.

Ao cultivarmos ideais físicos impossíveis ficamos paralisados de susto diante de nossa anatomia inadequada ou, pior ainda, nos atiramos cegamente em uma corrida por um prêmio físico passageiro. É compreensível que não queiramos ver como nosso próprio corpo se encaixa nisso. E assim não o vemos de jeito nenhum.

Na realidade, não temos nenhuma necessidade de nos enredar em toda essa loucura, pois ela é irrelevante para a felicidade, ou para sermos amados profundamente, ou para qualquer coisa de valor permanente. É irrelevante até mesmo para nos sentirmos bem. Só precisamos reconhecer que nosso corpo *pode* se tornar um aliado, mas, para que assuma esse papel, temos primeiro que vê-lo da forma como ele é.

Mas com que horrores vamos nos deparar se olharmos para nosso corpo com honestidade? Constataremos que o tamanho da nossa boca passa a impressão de que temos um sorriso falso? Que o metabolismo que herdamos encurta nosso tempo de vida? Que temos um timbre de voz muito alto para sermos promovidos? Que o esporte que praticamos não faz bem ao coração? Ou que nosso corpo de repente ficou fora de moda – afinal, não observamos que feições *finas* causam admiração, mas que anos depois dão lugar a *traços mais marcados?* Ora o cabelo deve ser ondulado e de uma cor só, ora tem que ser liso e com mechas em vários tons.

Atualmente, todos nós precisamos emagrecer não apenas dois, mas quase dez quilos. E, mesmo que conseguíssemos administrar tudo isso, a estrutura óssea das nossas pernas e da pélvis continuaria toda errada, pois de longe não parecemos magros o bastante, ainda que bem de perto estejamos claramente esquálidos.

Talvez o que provoque ainda mais ansiedade seja a pressão atual para possuirmos uma supersaúde, quando no dia-a-dia testemunhamos vários sinais de que já é bastante difícil simplesmente permanecermos vivos. Assim não causa surpresa o fato de que isso nos faça pensar no nosso corpo como uma bomba-relógio ambulante ou, ao menos, como um processo judicial que se arrasta pelo tempo estendendo-se tristemente para o futuro. Evidentemente o corpo é, hoje em dia, um assunto infeliz.

A mudança física é possível

O corpo pode não ser perfeito, mas é possível mudá-lo. A mutabilidade é sua característica fundamental. Assim, se você está acima do peso e fora de forma, seu corpo pode ser modificado. E isso também é verdade se você está na flor da sua adorável juventude – seu corpo pode ficar diferente. Você pode desempenhar ou não um papel na futura trajetória do corpo, mas nada do que fizer ou deixar de fazer vai fixar a durabilidade dele.

Esse é um dos motivos que nos levam a dizer que o corpo não tem valor. Mas é também essa mutabilidade que nos dá esperança, não importa o quanto uma condição física tenha se transformado em um tormento na nossa mente.

A mutabilidade não é desejável nem precisa ser negada. Mas certamente será temida até que o antigo hábito humano de alimentar a saudade do que já passou ou de tentar se desviar de um golpe no futuro imaginário seja finalmente rompido. As pessoas buscam as fotos antigas e pensam que o corpo delas ainda deveria ser daquele jeito. Mas será mesmo que alguém quer ter 90 anos e aparentar 18, ser o único ser humano cujo corpo jamais muda, um fenômeno único capaz de provocar medo ou espanto? Naturalmente a resposta é *não*.

Assim, persistimos em acreditar que, como em determinada fase o corpo era mais atraente, impunha mais respeito e nos proporcionava mais facilidade até para arranjar emprego e coisas semelhantes, ele era bom e adequado – o que faz com que sua sitação atual seja errada. Bom e adequado para obter uma vantagem? Como essa atitude é infeliz! O período no qual o corpo pode ter todos os benefícios possíveis é bem curto realmente, e tentar congelá-lo no tempo é desastroso para o bem-estar mental.

Talvez as fotos antigas nos mostrem obesos e gravemente doentes. Então não será o passado que lamentaremos perder – ficaremos, sim, apavorados diante do futuro. Sentiremos tristeza até mesmo ao apreciar nosso corpo como um todo por causa do medo de que alguma coisa ruim possa retornar. Mas o corpo não terá um futuro mais seguro pelo fato de insistirmos em seus estágios anteriores. Cuidamos melhor dele quando o conhecemos tal como ele é agora e nos mostramos sensíveis às suas necessidades atuais.

O corpo que temos nesse momento é o único que possuímos – não foi nem será outra vez o que é agora. E é somente com ele que poderemos chegar a um acordo se quisermos que essa parte do nosso mundo nos seja agradável. Simplesmente não temos o corpo de cinco anos atrás. Mas, sem dúvida, ainda reagimos a essas velhas imagens como se fossem reais. Isso prejudica a saúde, a energia, a aparência, o estado de espírito e uma centena de outros aspectos físicos que há anos interferem em nossa felicidade. Portanto, veja-se com os olhos de um amigo.

Tente fazer este exercício, é bastante simples.

- Tire todas as suas roupas e fique na frente de um espelho.
- Olhe para seu corpo do jeito que ele é. Não o julgue. Não se lembre de como ele foi um dia nem diga a si mesmo que logo haverá mais daquilo. Veja-o como alguém que ama você de verdade o vê – com olhos ternos e suaves. Olhe-o no presente.
- Depois de dar uma boa olhada, feche os olhos e comece a fazer uma relação do seu nível de bem-estar. Enquanto você está ali em pé, como o corpo se sente? Há dor em algum lugar? Existe alguma coisa com a qual não seja fácil conviver? Os problemas são sempre os mesmos em determinadas partes?
- Você não está em busca de áreas das quais se orgulhe ou se envergonhe, mas simplesmente observando os detalhes do seu estado atual. O objetivo é conhecer o bem-estar e o conforto geral do corpo e identificar as áreas especiais de dificuldades que continuam a aparecer. Anote qualquer coisa que retenha sua atenção (as coxas, algo relacionado à digestão, uma impressão generalizada de envelhecimento, etc.). Certamente existem outras preocupações que estão sempre mudando. Um dia é o cabelo, outro dia são os olhos, o estômago, a postura, as rugas e assim por diante. Mas, se você observar com calma, reconhecerá com facilidade as áreas que representam um distúrbio permanente para sua felicidade.

Olhe para seu corpo com calma e sensatez. Não se permita cair em velhas e importunas preocupações: "Será que os meus culotes são muito feios?", "Será que minha estrutura óssea é boa?", "Será que meus olhos deveriam ser de outra cor ou mais separados?", "Estou muito magra e abatida?" ou "Meu Deus, nunca vou perder esta barriga!". Se começar com esse tipo de crítica, que um bom amigo não faria, logo será incapaz de construir o retrato desapaixonado de que você necessita como ponto de partida.

- Agora se sente ou fique de pé em silêncio por um instante e deixe-se penetrar por esse retrato suave e confiável do seu corpo. Lembre que não há sentido em lutar contra fatos reais. Isso é simplesmente seu corpo. Não é, com certeza, tudo o que existe para você, mas por ora é o que você tem fisicamente. Fora algumas dores crônicas, é possível viver de modo bem confortável e feliz com ele – se aceitá-lo como ele é.

Aceitar seu corpo não significa recusar-se a tomar atitudes que poderiam ajudá-lo a sentir-se melhor com ele, quer isso signifique uma cirurgia, o início de uma dieta, a prática diária de uma atividade física ou uma ida ao cabeleireiro. Se você não julgar seu corpo e não tiver medo de escutar seu próprio conselho sem antes ouvir a opinião dos outros, vai perceber o que pode auxiliá-lo.

Alguma coisa em você sabe o que é. Comece com a aceitação e prossiga praticando a confiança. Pratique o conhecimento e você conhecerá. O bloqueio desse processo natural ocorre simplesmente por causa das comparações e dos julgamentos. O fato de esse ponto precisar ser enfatizado é uma indicação da atual desorientação da nossa cultura. O que poderia ser mais natural do que alguém ter a mínima consciência de como cuidar do próprio corpo?

- Depois de examiná-lo no espelho e com os olhos da sua mente, identifique o problema crônico mais significativo e olhe para ele com a mente serena.
- Prossiga no caminho habitual de abrir-se a todas as alternativas e escolha o primeiro passo que vai experimentar.
- Trace um pequeno plano para acabar com esse aborrecimento. Sem qualquer preocupação nem exame de consciência profundo, comece a executá-lo. Prove a si mesmo que não há necessidade de permanecer atolado em *nenhuma* forma de infelicidade.

O propósito do corpo

Para a maioria das pessoas, o corpo funciona como um pano de fundo de aborrecimentos variados – angústia, obrigação, fonte de pesar. No princípio, ele parece uma autêntica promessa, um cometa luminoso precipitando-se pelo futuro. E durante um tempo dá a impressão de se mover para preencher várias expectativas indefinidas. Mas o que esperamos dele tanto é inatingível quanto mal definido. O corpo não dispõe de recursos para satisfazer uma lista sempre crescente de exigências conflitantes. Parece falhar cada vez mais e justamente quando mais precisamos dele. Assim, ele se fixa em seu papel mais comum – algo em que não confiar, uma fonte de medo.

Seu corpo deve ter ao menos um propósito bom e natural – estar a serviço da sua felicidade. Ele pode executar muito bem essa função se você o olhar com bastante calma para perceber que, despido dos enfeites, ele não é poderoso nem mágico. É submisso, vulnerável e possui talento limitado. A excessiva ênfase que lhe damos atualmente distorceu seus prodígios – e seus horrores –, mas não conseguiu transformá-lo em outra coisa além daquilo que ele sempre foi.

> O corpo serve à nossa felicidade quando não interfere com a mente, mas o físico sozinho não tem a capacidade de nos fazer felizes.

As pessoas que pensam que a felicidade é estar com tudo no lugar para poderem ser admiradas por onde passarem ainda estão confundindo potencial mental com potencial físico. As reservas de paz que levamos para uma situação social é que determinam se vamos passar o tempo de forma divertida, e não nossa massa muscular, a etiqueta das roupas, o tamanho do salto, a importância do nome que temos ou a altura da nossa risada. Não importa o quanto um corpo possa ser atraente, forte ou ter um "ar natural", ele simplesmente é incapaz de controlar nossa felicidade interior. Mas a maior parte do mundo funciona com a premissa oposta.

A verdade um tanto chocante é que ficamos menos dispersos quando nos apresentamos ao mundo em termos normais. Tentar ser especial não é uma necessidade absoluta, mas um antigo caso de amor que nunca chegou a um final feliz. Não devia ser um mistério o motivo pelo qual não nos satisfaz chamarmos a atenção unicamente pela boa aparência. A atenção se volta para o corpo, não para o eu, e nos sentimos de certa maneira por fora de todos os comentários e olhares que giram à nossa volta. Ainda que possa ser muito excitante, podemos nos sentir um tanto abandonados e esquecidos.

Quer tenhamos sentido ou não o isolamento que muitas vezes acompanha a boa aparência, deveríamos ao menos aceitar que parte de nós permanece a mesma, independentemente do que ocorre com o corpo. Como diz o ditado "dentro de cada velho há um jovem imaginando o que aconteceu". Por isso, é difícil para muitas pessoas idosas se acostumarem com o jeito que os outros reagem a seus corpos envelhecidos.

Anos atrás, resolvi me livrar de vários preconceitos que eu

tinha sobre certos tipos de corpos e decidi tentar uma experiência. Eu e Gayle fomos a uma sorveteria movimentada e ficamos observando as pessoas entrando e saindo – velhos e jovens, gordos e magros, cabeludos e carecas, com diversas tonalidades de pele e em uma surpreendente variedade de trajes. A cada pessoa que aparecia, eu me perguntava: "Será que esse é um corpo bom ou um corpo mau? Não, é apenas um corpo."

O corpo não diz o que a pessoa é no seu íntimo, e tudo o que eu esperava era ver isso mais claramente. Mas o que aconteceu a seguir foi inesperado. Fiquei inundado de amor por essas pessoas. Comecei a ver como todos somos inocentes em nossa vestimenta corporal, que não há nenhum mal em nenhuma delas e que a variedade de formas que salpicam a Terra é uma graça divina.

Encontrando nosso lugar

Este exercício é um dos meus favoritos, pois faz com que me sinta mais equilibrado. Confundimos tantas coisas absurdas com a nossa identidade que qualquer truque que torne as coisas mais claras pode contribuir para a nossa felicidade.

- Sente-se numa posição confortável, feche os olhos e lentamente comece a se perguntar "onde estou?".
- Pergunte a si mesmo: "Estou no meu cabelo?", "Nos meus olhos?" "Na minha cabeça?", "No meu cérebro?", "No meu coração?". Percorra suavemente seu corpo formulando perguntas semelhantes e parando depois de cada uma para captar a resposta.
- Quando tiver terminado, você provavelmente terá uma percepção mais acurada dessa parte de você que é sempre você, independentemente de idade, cor de cabelo, amputações, próteses, danos cerebrais, ou qualquer outra alteração corporal. Essa percepção pode ser bem forte.

Como a mente e o corpo se relacionam?

Para que sejamos felizes, que papel a mente deve ter em relação ao corpo? Certamente não deverá ter medo dele, mas essa é a atitude mais comum.

Quando estabelecemos que é o corpo e não a mente que deve se beneficiar com nossos objetivos, nos sujeitamos a perdas inevitáveis por causa da mutabilidade física do corpo. Para que possamos aproveitar a vida de maneira constante e confiável, não devemos escolher um local inconstante para depositar as recompensas. O corpo é inocente, não pode evitar sua natureza, a mudança é simplesmente a lei que o governa.

O corpo pode ser um bom empregado se o colocarmos nessa posição no presente. Bons empregados não têm que ser observados com apreensão nem criticados, pois isso abala sua confiança e perturba seu desempenho. Certamente precisam de instruções e de limites, e é necessário ter cuidado para que suas tarefas não excedam sua capacidade e para que estejam felizes com a duração do trabalho e suas condições. Do mesmo modo, a função da mente é estabelecer linhas de ação para o corpo e, depois, permitir que ele faça a parte dele em paz.

É agradável buscar o conforto geral do corpo usando meios diretos. Uma disciplina leve e consistente pode aumentar a felicidade tanto do corpo quanto da mente, porque os limites são, na verdade, um sinal de cuidado. É por isso que medidas como fazer uma excelente dieta e encontrar uma maneira segura e agradável de se exercitar habitualmente melhoram a postura e a aparência.

O motivo pelo qual relutamos em investir tempo e dinheiro em coisas que fariam nosso corpo se sentir melhor é que acreditamos que não merecemos ser bem tratados. Esquecemos que a bondade em relação a nós mesmos conduz à bondade em relação aos outros. E sem bondade não há felicidade. Mas algumas pessoas acham que os bons e generosos são fracos e estúpidos. Elas se consideram superiores e, consciente ou inconscientemente, trabalham para diminuir o valor dos outros, marginalizá-los, arrasá-los, anulá-los e até destruí-los. Os indivíduos mais destrutivos com que cruzei em minha vida invariavelmente pensavam que estavam acima de todos.

O que nos leva a ter sentimentos de superioridade é o desejo de sermos os primeiros em tudo. E isso começa pelo corpo. Ele está em forma? Cheira bem? Recebe os devidos agradecimentos? Senta-se na melhor poltrona? Colocar o corpo em primeiro lugar no *ranking* inverte os papéis naturais que ele e a mente têm, e ela deixa de funcionar como uma supervisora tranqüila.

Já percebeu como alguns motoristas aceleram um pouco mais bem na hora em que você vai ultrapassá-los na estrada? Por que as pessoas furam as filas nos caixas, demandam mais atenção do que outras no restaurante e, segundo Gayle, "entram no cabeleireiro sem marcar hora para uma *escova rápida* enquanto você fica tentando limpar a tinta que escorre para suas sobrancelhas"? É por causa da importância indevida que atribuem a seus corpos, uma vez que a mente não existe no nível dessas competições fúteis.

O objetivo do corpo é não dar à mente motivos para que ela fique perturbada. E o objetivo da mente é não ficar constantemente preocupada com o fato de o corpo estar recebendo tudo o que lhe é devido. O habitual pacto com o medo dá lugar à harmonia quando a mente lidera com segurança e o corpo a segue em paz. Para isso acontecer, o corpo deve ser tratado e considerado com gentileza.

CAPÍTULO 15

A saúde

Um equilíbrio feliz

Os extremos no que diz respeito a questões como alimentação, vestuário, exercícios, aparência física, saúde ou segurança muitas vezes podem abalar o aspecto amigável e harmonioso do corpo e se transformar em aborrecimentos. Entretanto, é possível andar numa estrada intermediária em que o corpo se sinta bem com quase tudo que lhe diz respeito e, assim, não se tornar uma fonte de preocupação.

O corpo sente-se melhor com roupas confortáveis, mas que não sejam desleixadas; alimenta-se melhor sempre que a comida se destina a aumentar e garantir seu bem-estar, e não quando é submetido a sacrifícios e privações. É lastimável enfeitá-lo excessivamente, mas negligenciar sua aparência de modo que se torne desagradável aos olhos é igualmente um desastre.

Descuidar-se do corpo não proporciona nenhum alívio verdadeiro para a mente, assim como não faz bem tentar empurrá-lo para níveis invejáveis de saúde e energia. Além disso, a segurança física não deve ser negligenciada em nome de um caminho espiritual ou para demonstrar confiança em Deus. Por outro lado, virar um fanático para evitar todos os contratempos imagináveis revela simplesmente um triste modo de viver.

Como esse é o modo generalizado de se encarar a vida, você deve ficar alerta a qualquer tendência de ir a extremos. Recuse-se gentilmente a ser influenciado e volte-se para sua própria inteligência natural. É possível, por exemplo, descobrir sozinho quais as combinações de alimentos que levam felicidade ao seu corpo, lhe fornecem histamina e lhe permitem dormir bem. E também o que suga sua energia, baixa sua resistência ou o estimula de maneira desagradável. Se você tiver sensibilidade e não acelerar o processo, pode vir a ter uma noção segura do que comer e como comer.

Da mesma forma, é possível desenvolver um instinto agradável e acertado do que vestir, das ocasiões apropriadas para se usar maquiagem e outros recursos estéticos, de como e quando se exercitar, de como agir em caso de doença e de que concessões fazer por causa da idade. Não devemos subestimar nossa resistência a evitar os extremos. A tendência normal é flutuar entre eles – punir severamente o corpo numa ponta e perdoá-lo na outra.

É possível adoecer em paz, menstruar em paz, passar pela menopausa em paz, ficar careca em paz, ficar menos estimulado sexualmente em paz e ficar bem velho e murcho em paz. Chegará a hora em que você vai se olhar no espelho e saber que jamais será o centro das atenções. E nesse mesmo momento poderá ser calorosamente saudado por alguém muito mais jovem justamente por subir lepidamente um lance de escadas. Nada disso tem que causar angústia, mas, para que não cause, temos primeiro de nos sentir à vontade com nosso corpo, e, assim, as mudanças em nossa aparência e capacidade física não serão temidas nem rejeitadas.

Ninguém é culpado por sua doença

Em nossa cultura, estar doente passou a ter uma definição cada vez mais arbitrária. Isso é um reflexo da tendência a denegrir ou romantizar o corpo. Pegar uma gripe ou um resfriado é estar doente, mas sentir-se triste ou amedrontado não é. Perder massa óssea por causa da radiação recebida no trabalho é uma doença, mas ter pernas e quadris machucados por causa da corrida não é.

Uma vez, em uma festa, um homem em uma motocicleta Harley-Davidson viu o curativo na minha testa e perguntou se eu tinha me machucado fazendo motocross. "Não", respondi, "tirei uma verruga." Percebi instantaneamente que caí no seu conceito.

Não é natural estar doente porque a enfermidade em si não é vista como algo natural. Quando isso acontece, alguém precisa ser responsabilizado. É possível que um amigo tenha sido negligente durante o período de contágio. Quem sabe alguém próximo a nós seja uma influência negativa. Talvez por trás disso estejam os órgãos de fiscalização sanitária ou o lobby da indústria farmacêutica – nunca sabemos bem em quem jogar a culpa. Só temos certeza de uma coisa: a culpa é de alguém.

"Quando isso vai terminar?" "Por que foi acontecer comigo?" Enquanto pensamos desse jeito, mais uma vez deixamos de *olhar* para o corpo. Mentalmente o evitamos e o negamos e jamais lhe damos tempo para descansar e se recuperar.

Uma vez, quando Jordan tinha um ano e quatro meses, ele teve uma reação típica da vacina tríplice viral. Na mesma época, John, então com cinco anos, pegou uma gripe leve. Alguns dos nossos amigos nos culparam pela doença de John, porque dois dias antes nós o tínhamos levado a uma festa de aniversário bem no auge de um surto de resfriados. Outros amigos acharam que havíamos sido responsáveis pelo mal-estar de Jordan.

Gayle e eu tentamos escapar dessa linha infeliz de pensamentos. Não sabemos qual é a verdade. Quem sabe realmente? Assim, admitimos isso para nós mesmos e fizemos as melhores escolhas possíveis para nossos filhos. Todos os pais têm à sua disposição uma preferência pacífica sobre como agir no momento necessário. Podem perceber isso quando pensam mais no amor que nutrem por seus filhos do que nos seus numerosos receios de cometer um erro.

É fundamental distinguir entre o conhecimento que advém do

medo e aquele que se origina da paz. Muitas das tristezas do mundo resultam da mistura dos dois. Somos sempre capazes de saber no que acreditamos no presente e podemos praticar essa forma de conhecimento até ela se tornar uma convicção firme e tranqüila.

Diante de uma decisão, o desejo da maioria das pessoas é ver o caminho *do início ao fim*. Isso bloqueia o conhecimento atual daquilo em que acreditam. É claro que queremos nos proteger para não cometer falhas. Mas os erros – tal como são percebidos pelo mundo – não têm uma importância verdadeira no presente. São a interpretação de algo que virá mais tarde.

Lembre-se de que seu objetivo é a felicidade e que esse estado é composto de uma bondade jamais adiada, mas sempre exercitada no presente. A felicidade não é simplesmente o que parece bom, mas o que sentimos ser bom dentro do nosso coração. Você não pode almejar que o mundo o veja como uma pessoa que sempre está certa e, ao mesmo tempo, ser bondoso consigo mesmo e com os outros porque esses objetivos se aplicam a momentos diferentes. Você pode ter razão no futuro, mas só pode ser bom agora.

Adoecendo naturalmente

As crianças muitas vezes adoecem com mais felicidade do que os adultos porque não se deixam levar por culpa, pânico, censura, preocupação e outras emoções desnecessárias. Estão apenas doentes. Ficar à vontade com uma enfermidade, desde que esta não seja fisicamente devastadora ou ameace a vida, também é um estado que pode ser alcançado pelos adultos.

Praticamente ninguém vê nada de anormal em nosso corpo ser temporariamente mais jovem, mais forte, ter a pele mais macia ou atrair mais olhares do que outros corpos. Não nos sentimos compelidos a disfarçar essas disparidades. Mas ficamos constrangidos quando nos chamam de doentes! Em contrapartida, a maior parte das crianças pequenas não acha nada demais em parar abruptamente no meio da brincadeira e dizer aos colegas: "Tenho de parar agora, estou com dor de barriga." Elas ainda não possuem nenhuma absurda imagem-pessoal-mais-sadia-do-que-a-sua para preservar.

As crianças são também mais felizes porque não usam a doença como um tempo para fazer um exame de consciência. Além disso, seus amigos não aconselham aquela que está se sentindo mal a pensar sobre sua resistência a enfrentar novas situações. Nós, adultos, que somos supostamente mais sábios, acreditamos que devemos descobrir um significado para o fato de estarmos debilitados fisicamente. Basta cairmos doentes e sentimos necessidade de nos torturar com livros, artigos e fragmentos de conversas que relacionam os males a traços de caráter e de comportamento.

As pessoas não têm mais uma simples cólica – hoje elas são rotuladas de emocionalmente reprimidas. Cálculos na vesícula indicam uma hostilidade latente, inflamações da garganta revelam introversão e dores na coluna lombar são um sinal de medo de dinheiro. (Não estou brincando, posso mostrar o livro.)

Certamente pode haver esse tipo de relação em casos isolados, mas não é óbvio que essas fórmulas são tão generalizadas quanto sem sentido? E qual seu real propósito? Ouvi outra coisa desse tipo um tempo atrás. Um amigo me contou que o orador de um seminário disse que o câncer era um sinal de falta de habilidade para amar. Em meu trabalho tenho conhecido muitos pacientes com câncer, e essa declaração é completamente falsa.

Uma doença não passa do modo como nosso corpo pede um tempo, pede descanso. Caso seu trabalho ou suas solicitações familiares permitam, siga as orientações ou tome os remédios para tornar esse período um pouco mais fácil. Se isso significa cama e um bom livro, vá em frente e sem nenhuma culpa. Não se pergunte por que começou. Não se interesse em saber quando ela vai embora. Não estabeleça metas que o coloquem em desvantagem com sua condição. Da melhor forma que puder, fique doente no presente.

A parte infeliz da mente sempre tenta nos levar a fazer o que não precisamos realizar agora. Se estamos doentes, é melhor cortar tudo o que pudermos e organizar a situação para que fiquemos tão confortáveis quanto possível. Sempre haverá alguém que se mostrará feliz em nos ajudar – na verdade, essa pessoa se sentirá especial por ter sido solicitada. Abrir mão da paz de espírito para nos resguardarmos da dificuldade temporária de pedir auxílio é uma troca pobre.

Tampouco demonstramos ter mais caráter por nos recusarmos a tomar remédios ou ir ao médico. Como hoje em dia muitos acreditam que a ingestão de medicamentos é uma derrota moral ou espiritual, tendem a usá-los em excesso quando ficam realmente mal, buscando erradicar cada sintoma daquele estado que consideram constrangedor. Não se comporte como se estivesse muito bem de saúde. Isso é arrogância, não é nobreza.

Também não é preciso entrar em pânico e sair correndo em busca de uma bala de prata para resolver esse problema difícil. Não tente debelar a doença como se ela de algum modo pudesse ser afogada. Seja honesto consigo mesmo rapidamente. Você está doente. A seguir, decida-se a ser amável e generoso com seu corpo.

Enfrentando uma doença grave

Muitas vezes, quando as pessoas sabem que são portadoras de um mal que pode lhes causar a morte, elas se tornam profundamente confusas e até fisicamente desorientadas, pois acreditam inconscientemente que foram selecionadas para sofrer um castigo especial. Naturalmente não compreendem. Têm a impressão de que a doença as selecionou entre milhares e não encontram um motivo que justifique essa escolha. E realmente não existe razão nenhuma. Mas como pode ser compreensível o fato de nos vermos sofrendo e morrendo por causa de uma doença?

Embora não se possa querer que os portadores de males fatais entendam isso no primeiro momento, é possível esperar que eles eventualmente percebam que continuar se perguntando "Por que eu?" significa entrar em um buraco escuro e sem esperança, de onde talvez levem muito tempo para sair. Não há a menor utilidade em uma linha de pensamento que leve inevitavelmente à culpa, pois ela apenas aumenta a sensação de infelicidade, deixando a pessoa tão perturbada e desorientada que ela não consegue ser tão receptiva quanto deveria em relação às medidas necessárias. Nunca ajuda muito *assumir a responsabilidade* no sentido de assumir a culpa. Contudo, a crítica e a culpa prevalecem nos casos de doenças fatais, dada a completa confusão na qual os acometidos por esses males se vêem lançados.

Como a indefinição sobre a verdadeira causa da doença é muito comum durante os primeiros estágios de sua manifestação, as pessoas têm que alcançar um estado de calma e serenidade e tentar visualizar os passos que desejam dar. É necessário considerar todas as opções. Quando isso é feito sem pânico, a mente fica um pouco mais aliviada ao perceber que existe mais de um caminho disponível.

Se você está enfrentando uma situação como essa, não tenha medo de tentar ou de não tentar nada. O corpo é seu e você é livre para agir do modo que escolher. Portanto, olhe para a doença com um sentimento de paz. Congele essa circunstância com calma e examine-a cuidadosamente. Depois, abra-se para todas as alternativas possíveis e comece com os primeiros passos que, em sua opinião, sejam mais confortadores.

Nunca é uma boa idéia falar indiscriminadamente sobre o assunto, principalmente logo após você ficar sabendo que tem a doença. Poucos são os que resistem ao impulso de fazer advertências e dar conselhos. Não há problema em contar o que está acontecendo a uma ou duas pessoas nas quais confie profundamente, mas procure evitar a confusão que se forma só por *ouvir* opiniões contraditórias. Não pense que está acima da influência daqueles que são de fato bem-intencionados. O conflito penetra em sua mente quase sem ser notado e, de repente, você se vê questionando seu conhecimento tranqüilo do assunto e não entende de onde vêm as dúvidas.

A confusão surge mais da preocupação de cometer um erro do que da predisposição a dar um passo. Com muita freqüência, o conselho que você receberá de parentes e amigos estará contaminado pela ansiedade quase natural deles e vai agitar e fragmentar sua mente em vez de acalmá-la e centrá-la.

Escolha seu caminho e siga-o. Se quiser morrer em paz, esse é um direito seu. Caso queira tentar vários tratamentos, fazer tudo o que puder na esfera médica e alternativa, também é um direito seu. É bom primeiro dizer isso a si mesmo, mas, na verdade, você tem que monitorar cuidadosamente o crédito que dá a novos artigos e opiniões. Lembre-se de que nunca haverá uma declaração conclusiva com a qual todos concordem. Por isso, procure mapear seu próprio rumo através disso tudo.

Se você confiar cegamente em um médico ou em alguém que esteja na posição de orientá-lo, então é melhor começar por essa pessoa e ouvir com muita atenção o que ela lhe disser. Depois de ter recebido o conselho, guarde-o em seu coração e chegue serenamente à sua própria decisão.

Não estamos sós

O medo é o principal acompanhante de todas as doenças. Há sempre a tendência de nos retirarmos para essa temerosa parte de nós mesmos, nos reduzirmos a um pequeno objeto assustado e ficarmos sozinhos. O envolvimento do ego na doença é sempre uma forma de retraimento ou, mais precisamente, uma retirada para dentro da nossa infelicidade e uma retração do amor que temos pelos outros, independentemente de o contato que mantemos com eles permanecer o mesmo ou até aumentar.

Aprendendo a desenvolver o conhecimento instintivo do corpo e começando a confiar nele, nos tornamos menos dependentes das opiniões instáveis do mundo. Passamos a estabelecer uma ligação de mais solidez do que de fragilidade com as pessoas. Mesmo estando mais fechados aos conselhos e ansiedades de parentes e amigos, devemos procurar nos unir a eles nesse nível mais profundo, desconsiderando seus medos e separando o amor verdadeiro que está por trás dos seus gestos.

> O desejo de felicidade, de simples paz, é um riacho contínuo que corre no interior de todos os seres humanos e que nos une em uma só família, embora não a vejamos. Cada vez mais, nosso coração nos chama para retomarmos o amor ao próximo, para lembrarmos da nossa unidade e para tratarmos as pessoas como gostaríamos de ser tratados.

Ao recordar o débito de gratidão que temos com todos os que participam da nossa vida, fazemos mais para promover nossa saúde e para proporcionar ao nosso corpo uma sensação de bem-estar do que qualquer método ou esquema de exercícios e alimentação que possamos adotar sem amor. Assim, muito do que realizamos em prol do nosso corpo é feito como se vivêssemos numa espécie de vácuo. Ao tentar praticar a unidade, é útil perceber que você está tentando ir além da própria base da infelicidade do mundo. Não espere conseguir resultados fáceis e espetaculares. Mas um pequeno progresso agora pode durar um longo tempo.

A implacável imagem que o mundo exibe para todos contemplarem é a da separação – todas as coisas distanciadas e nenhuma esperança real de corações batendo como se fossem um. Sempre que somos apanhados nos problemas mais corriqueiros, levamos instantaneamente esse retrato da realidade ao nosso coração e sofremos alguma forma de solidão. O problema insiste em perguntar "Você está separado?", "Você está separado?". Aprenda a *não* responder a essa pergunta, pois basta uma pequena obsessão com o mundo para *provar* que você realmente está isolado.

É possível nos sentirmos sozinhos no meio de uma multidão, com um grupo de amigos e até mesmo dentro de uma grande família. A solidão não é um estado de desamparo – ela é o maior problema do mundo. É o preço inevitável de tomarmos a trilha que hoje percorremos com tanta seriedade. O mundo não funciona, e isso ainda parece nos causar surpresa.

Sentimentos como o de jamais termos sido compreendidos, de precisarmos ser cautelosos para não abusar da boa vontade dos outros, de termos nos sobrecarregado com determinados relacionamentos e de precisarmos fazer muitas coisas por nós mesmos formam uma corrente subterrânea de pensamento contínuo e quase universal. Essas emoções se originam do fato de esperarmos muito do modo como as coisas acontecem para nós em vez de atentarmos para o quão enraizados estamos em nossa própria essência.

Em vez de acreditarmos primeiro em um lugar de paz dentro de nós e *depois* vivenciá-lo, temos que fazer o oposto: primeiro vivenciá-lo – e mais uma vez, e de novo, até que nossa confiança em sua segurança e localização comece a inundar a mente. Vemos uma vaga luz ao longe, mas praticamente não acreditamos nela. Entretanto, caminhamos em sua direção. E a cada passo ela fica mais brilhante. Não há nenhum mistério nesse processo.

Lembre-se de que talvez você não conheça muito bem esse lugar de paz em seu interior, portanto talvez não esteja na posição de calcular o que ele deveria estar fazendo em seu favor. Talvez ainda não acredite que essa parte de você é você – mas, pelo simples fato de ela existir, você não está só.

CAPÍTULO 16

Os relacionamentos

As expectativas

Em nenhuma outra área buscamos a felicidade com mais esperança e nos frustramos com mais facilidade do que nos relacionamentos. Ainda assim, continuamos a vê-los como nossa libertação de uma infinidade de sofrimentos. Isso é duplamente trágico, pois a percepção do potencial de um relacionamento tem bases muito sólidas. Mas é como se, repetidamente, entrássemos em um quarto lindo e tranqüilo – nosso quarto, reservado só para nós, cheio de todas as coisas com as quais sonhamos – e saíssemos sempre de mãos abanando, perplexos e irritados, decididos a não tentar nunca mais.

Mas não sabemos para onde mais podemos ir. Um relacionamento novo pelo menos nos dá uma esperança. Ao que parece, uma mulher jovem pode renovar um homem maduro. Um rapaz é capaz de renovar uma mulher mais velha. Um bebê tem condições de renovar um casamento infeliz. A esperança que depositamos em um novo alguém – um novo amigo, um novo médico, um novo chefe, um novo cônjuge – é tão grande que raramente ele se mostra à altura do que idealizamos. O médico comete um erro. O amigo defende convicções políticas incompatíveis com as nossas. O bebê não dorme durante a noite. A desilusão gradualmente se instala, e logo sentimos que precisamos nos afastar da pessoa para *manter nossa sanidade*.

Parece ingenuidade esperar que esse padrão algum dia se modifique. Mas, como em todas as dinâmicas, é necessário, em primeiro lugar, observar de que modo participamos disso. Enquanto não reconhecermos o papel que desempenhamos nessas pequenas danças do destino, vamos continuar culpando esse alguém, seja lá qual for seu perfil, por *mais esse* fracasso. Então, corremos atrás de uma nova relação para nos salvar.

A expectativa que temos quanto a um relacionamento é o que estabelece a decepção inicial e freqüentemente conduz ao desastre. Achamos natural ter expectativas, mas elas estão baseadas no passado e cegas para o presente. Cada expectativa é um julgamento, e não existe relacionamento que não vá ser minado por elas.

As expectativas dos pais em relação aos filhos talvez sejam mais evidentes. As crianças devem ter um determinado tipo de aparência. Precisam, sem dúvida, ser inteligentes e se esforçar na escola. Além de possuir muitos amigos, têm que ser agradáveis aos adultos também, e por aí vai. Até em relação a um novo bebê existem expectativas preocupantes. O ideal é que não soluce muito ainda no útero e que o parto seja fácil. Melhor que seja do sexo esperado, que durma a noite inteira, que mame direitinho e que não tenha brotoejas ou cólicas horrorosas.

Sem dúvida, esperamos muito de uma nova relação, sobretudo se ela tiver um potencial romântico. Um relacionamento duradouro é altamente valorizado em todo o mundo, embora atualmente devamos ter extrema cautela até mesmo em relações mais passageiras. Mas existe também o mito de que uns poucos privilegiados são capazes de conquistar uma união para a vida inteira, na qual se olhem profundamente nos olhos, ouçam com atenção cada palavra que trocam e fiquem arrepiados com o toque do outro, ano após ano.

É grande a ilusão a esse respeito, e muitos são os artigos que ensinam como manter um relacionamento desse tipo, a criar um *novo mistério* e a dar mais *tempero* à relação. Estabelecem-se regras sobre como preservar uma certa distância do parceiro e mantê-lo enfeitiçado para sempre. As expectativas criadas dessa forma são lamentáveis porque estão tão distantes da realidade que tendem a causar atritos entre pessoas que tinham um relacionamento perfeito até que uma delas fosse convencida por um artigo de revista.

Uma expectativa procura por alguma coisa, ela não olha *para* alguma coisa. Ficamos esperando algo e não conseguimos enxergar o que está diante de nós. Assim, cobrimos com um véu de amargura tudo o que está sob nossos olhos.

Deixando as expectativas de lado

O dia de hoje poderia nos encher de conforto e nos deixar muito mais felizes do que podemos imaginar se pudéssemos apenas contemplá-lo e não desejar mais nada. Temos pouco a esperar quando só queremos uma outra versão do passado.

Esqueça as fantasias e abra seu coração para esse momento. Isso é possível, mas primeiro você precisa aceitar que, a menos que já tenha trabalhado nesse sentido, todos os seus relacionamentos são, até certo ponto, obscurecidos por suas expectativas em relação a eles. E expectativas, como as cataratas, devem ser removidas. É impossível enxergar com elas.

- Reserve alguns minutos e reflita apenas sobre um relacionamento. Talvez ao que você dedica mais atenção no dia-a-dia.
- Coloque-se mentalmente diante dessa pessoa e observe com atenção tudo o que vem à sua cabeça. Vasculhe cada pensamento em busca de expectativas a respeito de como você *quer* que essa pessoa seja. Analise o corpo dela, sua ocupação, seus gestos, seu comportamento no passado e hoje em dia, seus amigos, seu estilo de se vestir, suas opiniões – tudo o que você associa a ela.

Sempre que sentir uma pontada de irritação ou censura,

esteja certo de que existe uma expectativa latente. Se, por exemplo, estiver pensando em um dos seus pais e se lembrar de como ficou aborrecido com algo que foi dito durante um telefonema recente, deve perceber que esperava que seu pai ou sua mãe fosse um pouco diferente. Essa pode ser uma expectativa de longa data. O fato de as pessoas viverem provando que não são de determinada maneira não diminui nosso desejo de que elas sejam do modo que as idealizamos.

- Se você achar difícil identificar suas expectativas, tente a técnica da Gestalt Terapia de puxar uma cadeira e imaginar claramente que essa pessoa está sentada ali. De olhos abertos ou fechados, diga a esse homem, mulher ou criança exatamente o que espera dele ou dela. Fale de coração e não guarde nada consigo. Você pode fazer isso em silêncio, mas, caso a pessoa não pareça real o suficiente, tente falar em voz alta.
- Quando já tiver mencionado tudo que queria, é importante que fique de pé, sente-se na cadeira do outro e, de todas as maneiras possíveis, se torne mentalmente essa pessoa e dê suas respostas para o que você mesmo disse.

  Para muitos, ajuda bastante ficar trocando de cadeira até que tudo tenha sido dito dos dois lados. Imagine-se tendo um diálogo imaginário com a pessoa. Observe que, à medida que você prossegue, há um aumento gradual do nível de compreensão e simpatia, e suas expectativas iniciais começam a enfraquecer. Percebendo que isso vai acontecer, é possível que você sinta uma forte resistência a sentar-se no lugar da outra pessoa. Isso acontece, é claro, por você *não querer* entendê-la. Esse exercício também mostra que esperar algo dos outros gera neles expectativas opostas em relação a nós.
- Uma vez identificadas as expectativas, é preciso descartá-las da mente para que o relacionamento possa ser vivencia-

do no presente. Esse processo não deve ser menosprezado. Por exemplo, se continuássemos até hoje a descrever para os outros o que tivemos de suportar na infância, seria impossível ver nossos pais como eles são agora. Para liberar a mente, temos que parar de reclamar ou de contar histórias debochadas sobre o ex-companheiro, o novo supervisor, o filho adolescente ou sobre a família vizinha. A mente não vai aceitar uma nova verdade enquanto as conversas continuarem a rejeitá-la.

- Um método simples para renunciar às expectativas é mentalizar a pessoa e imaginar uma lista de itens que você deseja mencionar, dizendo:

  "(*Nome da pessoa*), eu não quero mais (*diga a expectativa*). Não espero *nada* de você. Você está livre."

  Repita as palavras até ter certeza de que é isso mesmo que você quer dizer.

- Utilizar a visualização mental é outro método eficaz. Considero útil imaginar cada expectativa como se fosse um barbante com que prendi alguém. Com uma tesoura, corto cada vínculo até libertar a pessoa completamente. Como os laços de um relacionamento prendem os dois lados, fico tão livre quanto ela.
- Se você percebeu que suas expectativas mancham a imagem de uma pessoa, utilize uma visualização para livrá-la disso. Será como remover uma máscara ou um traje, de modo que a sua aparência perfeita, e até mesmo encantadora, possa ser revelada. Lembro-me de um amigo que foi competitivo por 25 anos, embora eu sempre esperasse que ele não fosse assim. Então digo a ele agora: "Você está livre para ser competitivo. Não precisa mudar para eu ser seu amigo." Imagino minhas expectativas abandonando o corpo dele, como se o estivessem despindo de uma horrenda armadura.

Debaixo das habituais camadas de expectativas que cada um de nós leva para um relacionamento há sempre outra ganhando força: a compreensível antecipação do abandono. A pessoa que amamos por tanto tempo pode ir embora. E essa é, de fato, a realidade da vida. O marido ou a mulher pode morrer ou encontrar um novo afeto. O melhor amigo talvez se encante com gente que circula em outra esfera. Os pais, quem sabe, fiquem senis e isolem-se em um universo mental inalcançável.

Se pretendemos ficar livres e presentes o suficiente para ter um relacionamento de verdade, precisamos encontrar uma maneira de deixar essas imagens tristes de lado. É claro que não devemos ignorar os fatos difíceis que estão ocorrendo agora. Entretanto, não é necessário antecipá-los.

Com tantas hipóteses do que *pode* acontecer com nossos entes queridos, a única esperança que temos de compartilhar o rico potencial dos nossos relacionamentos é vivenciá-los apenas no presente. Em geral, só quando perdemos a pessoa é que percebemos as oportunidades que tivemos – e deixamos passar – de ser felizes ao lado dela. Se ao menos tivéssemos parado um pouco e contemplado o que estava ao alcance de nossas mãos...

No entanto, nunca somos incentivados a abandonar as questões que nos impedem de aproveitar um relacionamento. E essa abordagem tão comum faz com que as dificuldades permaneçam e se agravem. O problema não desaparece nem o hábito de procurarmos ignorá-lo. Novos obstáculos se juntam aos antigos até que um dia uma inexplicável e permanente mortalha desce sobre o relacionamento. E o esforço não vale mais a pena.

A solução do ego para essa dinâmica é trazer vigorosamente à tona qualquer sinal de dificuldade e *atacar* o problema na hora. O resultado é que esses confrontos freqüentes, agora valorizados como atitudes do tipo *ser você mesmo, ter seu próprio poder e estabe-*

lecer seus limites, produzem o mesmo efeito duradouro de ignorar as questões – o relacionamento acaba sendo deixado de lado.

Solucionando problemas

Se seu cônjuge acabou de fazer algo que lhe desagradou, talvez esse não seja o melhor momento de tocar no assunto, pois é provável que você não consiga fazê-lo sem um tom de agressividade. E isso irá apenas precipitar um contra-ataque. Vale a pena questionar o valor de agarrarmos nossa primeira reação e com ela declararmos guerra ao parceiro.

Os problemas de relacionamento têm que ser identificados no momento em que ocorrem, mas só devem ser solucionados quando as chances de cooperação forem melhores. Se você sente uma certa urgência, seu ego está envolvido de alguma forma. Que mal há em esperar que isso diminua? Com o passar do tempo, a outra pessoa também tenderá a reagir de maneira menos defensiva em relação ao que fez. As chances de se chegar a uma solução aumentam quando ela percebe que você está voltando a tocar no assunto por amizade, e não por raiva. Então pare um pouco para pensar por que você está mencionando o assunto novamente. Deixe claro que está buscando fortalecer a relação e não tentando corrigir seu parceiro.

Os casais costumam desperdiçar sua boa vontade e grande parte do tempo que passam juntos tentando culpar e controlar um ao outro. Para chegarmos à solução de um problema, precisamos admitir que tomamos parte nele, seja lá o que tenha ocorrido. Esse procedimento mostra à nossa mente a necessidade de *nos unirmos* ao parceiro para superar uma dificuldade em comum. Basta reconhecer que ambos têm seu papel em qualquer desavença. Se não fosse assim, não nos sentiríamos perturbados.

A participação nem sempre é explícita. Muitas vezes uma das pessoas está apenas expressando o que as duas estão sentindo.

Um dos problemas mais comuns em um relacionamento, e também um dos maiores responsáveis por rompimentos, é a dúvida que corrói a mente de um dos dois. Em um casamento, por exemplo, enquanto um cônjuge estiver remoendo a questão "será que devo me divorciar?", não há esperança de compromisso, e você pode ter certeza de que o outro sempre consegue perceber isso.

Quando existe dúvida quanto a ir embora, a tendência da mente é reunir provas contra o parceiro em vez de tentar fazer com que a união funcione. Juntar tais provas nos cega para a inocência. Assim, precisamos encontrar uma maneira, ainda que temporária, de deixar de lado o questionamento sobre se deveríamos estar ou não naquela relação, bem como a dúvida que amigos e parentes adoram pôr na nossa cabeça ao dizerem: "Você poderia arrumar alguém melhor."

Um recurso simples como se comprometer de corpo e alma com o casamento durante uma semana, um mês ou um ano de cada vez pode dar à relação a chance de respirar e mostrar seu potencial. Qualquer um é capaz de responder à pergunta: "Será que quero dar o primeiro passo para um divórcio *agora?*" Se você perceber que não deseja isso neste momento, então tente tornar seu casamento o melhor possível durante todo o dia de hoje.

Se devemos evitar que um relacionamento seja esmagado pelo peso das questões malresolvidas, precisamos encontrar uma maneira de eliminá-las à medida que forem aparecendo. Já vimos alguns pré-requisitos para tentarmos uma solução – estarmos cientes das nossas expectativas, libertarmos a mente das dúvidas fundamentais sobre o relacionamento, reconhecermos a participação que temos no problema atual e esperarmos um bom tempo antes de trazermos o assunto à tona. Mas, uma vez atendidas essas condições, como duas pessoas conseguem deixar um desentendimento para trás de forma harmônica e permanente?

Pode parecer que um problema foi solucionado, mas, como

um dos dois intimidou, adulou ou censurou o outro ou o convenceu a concordar com ele – e como o que cedeu não foi sincero –, permanece um resíduo de ressentimento. Nesse caso, embora exista uma concordância superficial, ela não serviu para ajudar o relacionamento.

As maneiras de superar uma dificuldade corretamente continuam as mesmas: as pessoas devem passar por cima das posições separadas de seus egos e se unir. Não importa a forma que isso tome, mas, se ela não for visível, o processo provavelmente nunca se completará. Quando dividimos um desentendimento em frações e tentamos estabelecer uma discussão mais sistemática, a mente consegue aumentar seu nível de concentração e sobra mais tempo para ouvirmos o coração.

Mesmo nas piores discussões existem bons momentos – o problema é que eles acontecem na hora errada. Temos o hábito de expressar nossa boa vontade justamente quando as chances de ela ser rechaçada são maiores.

Os dez passos que relaciono a seguir ajudam a pinçar da confusão os pedaços que formam uma discussão malsucedida e reorganizá-los.

1. *Lide apenas com o presente.* Os problemas que você insiste em recordar talvez já tenham ficado para trás, então espere até que um deles apareça realmente no presente. Não traga feridas antigas à tona só porque se sente infeliz. Lembre-se de que o relacionamento em si já é um alvo fácil. Encare-o como ele é hoje sem se ater a seu histórico. Não alimente discussões sem fim sobre seus problemas, apenas os aceite com carinho, como parte de sua identidade. Não analise o relacionamento. Se não existem dificuldades, não as procure. Aproveite a companhia de seu par, é para isso que vocês estão juntos.

2. *Se algo surgir entre vocês, resolvam a questão no momento*

adequado. O que seu corpo faz simboliza suas prioridades. Por isso, discutir um assunto sobre o qual haja opiniões controversas enquanto você está se ocupando de outra coisa (preparando o jantar, dirigindo, fazendo amor, comendo) tende a aprofundar o conflito. Se um de vocês está com raiva, ambos devem acalmar a mente antes de conversar. Sentem-se e lembrem-se com calma do motivo pelo qual estão ali. É claro que, se houver pressão de um lado ou de outro, o objetivo será arruinado.

3. *Descreva a posição do seu ego da forma mais detalhada que quiser e permita que seu parceiro faço o mesmo.* Contudo, não a justifique nem afirme que ela é a correta. Apresente seu ponto de vista com total honestidade e franqueza, mas não ataque o do outro.

4. *Não interrompam um ao outro e não se acusem de estarem quebrando estas regras.* Seu objetivo é unir-se em paz e você não precisa provocar desnecessariamente a resistência do seu parceiro listando defeitos e apontando erros.

5. *Lide apenas com a dificuldade atual.* Evite a tendência de amontoar problemas, pois isso torna a solução impossível. Deixe as causas e associações de lado. Só revolva o passado se tiver certeza absoluta de que esse recurso aumentará as chances de um entendimento.

6. *Reitere sua posição, mas, agora, em vez de expor o que você quer, diga do que tem medo.* Ao identificar um temor, sua disposição para vencê-lo sempre será maior. Mas, se achar que está abrindo mão de algo que *quer*, tenderá a sentir-se magoado e frustrado. É mais fácil compreender os medos do seu parceiro do que as exigências ou acusações dele. O medo sempre está por trás desses problemas.

7. Ouça de verdade enquanto seu parceiro fala. Repita para si mesmo: "Fulano realmente está colocando para fora o que

sente." Entre os casais é comum uma pessoa acreditar que a posição do outro é falsa ou que ele está tramando alguma coisa – porque, afinal, está obviamente errado. Respeito é algo que se ganha naturalmente, e não à força. Você não pode esperar unir-se a alguém sem levá-lo a sério.

8. *Feche os olhos e recorde sua dívida de gratidão com seu parceiro.* Esteja disposto a utilizar qualquer recurso mental que lhe permita ver o quanto a outra pessoa é importante em sua vida. Lembre-se de quando se conheceram, por exemplo. Ou elabore uma lista dos sinais mais recentes de consideração, gentileza e paciência que ela manifestou em relação a você. Ainda que possamos fazer isso em silêncio, eu e Gayle freqüentemente transformamos essa prática em um jogo. Um de cada vez, citamos dez exemplos da bondade, da beleza e do charme do outro. Na hora da raiva, é difícil pensar em uma única qualidade redentora, muito menos em uma que possa ser pronunciada em voz alta. Portanto, se experimentar esse jogo, saiba que as primeiras serão as mais difíceis de lembrar, mas, se insistir, irá se soltar e as outras virão naturalmente.

9. *Ainda de olhos fechados, escolha três presentes que gostaria de dar ao seu relacionamento.* Antes, você encararia isso como um compromisso ou uma concessão, porém, se executou o oitavo passo, tal interpretação já não é mais possível. Certifique-se de que seus presentes estejam diretamente ligados ao problema a ser resolvido e que sirvam de fato para estreitar a distância entre vocês. Não prometa mundos e fundos. Apenas pense em pequenas coisas que possa cumprir alegremente. E transforme-as em verdadeiras dádivas.

10. *Abra os olhos e dê os presentes verbalmente a seu parceiro, depois ele deverá fazer o mesmo.* Vocês agora têm flexibilidade suficiente

para acabar com a discussão. É possível que ela perca o sentido para os dois. Talvez um reconheça que não tem fortes convicções a respeito da questão e resolva mudar sua posição já que, para o outro, esse é um ponto fundamental. Pode ser que novas opções tenham ocorrido aos dois. Quem sabe as adaptações que você e ele fizeram sirvam para acabar com a distância que os está afastando. Do contrário, repitam todos os passos ou se contentem durante um tempo com o esforço realizado até que estejam prontos para tentar novamente.

Descartando pequenas sabotagens

Quem não tem um relacionamento sonha em ter um. Quem tem sonha em se libertar dele. Quando o assunto é nossa felicidade, é preciso uma boa dose de honestidade para admitirmos o quanto somos ranzinzas.

Muitas das perguntas que mexem com um relacionamento ficam sem resposta enquanto são revisadas pela mente: "Será que meu marido vai morrer antes de mim?", "Será que minha esposa seria capaz de ter um caso?", "Será que a adolescência vai marcar o fim da minha proximidade com meu filho?".

Não existe a menor possibilidade de um relacionamento alcançar todo o seu admirável potencial enquanto existirem pensamentos desse tipo. Perguntas tristes como essas não se dissipam ao serem respondidas porque, simplesmente, não há respostas definitivas para elas. Portanto, devem ser vistas pelo que são – o medo de sermos felizes – e descartadas. Isso não é fácil, mas *somos* livres para escolher não levar a sério nenhuma questão do ego.

O ego não quer que os relacionamentos durem. Todo tipo de união ameaça seu senso de autonomia. Para ele, o que vale é ser diferente. É por esse motivo que parece autodestrutivo lutarmos para que não existam reais diferenças com nosso parceiro.

Em nossos atendimentos, eu e Gayle já vimos centenas de

exemplos de pessoas mudando de opinião apenas para cultivar uma briga. "O motivo pelo qual você está chateado nunca é o que você imagina", registra o livro *A Course in Miracle* (Um curso em milagres). O ego fica magoado, pois a mágoa impede a união, e ele sabe que esta será sua morte.

Ter razão é a maneira principal que encontramos para nos tornarmos diferentes. E essa atitude sempre inspira um sentimento de distância e estranhamento. O remédio é reconhecermos que, lá no fundo, desejamos intimidade e unidade. A partir disso, devemos usar o considerável conhecimento que possuímos do outro – em primeiro lugar, para evitar atritos desnecessários; em segundo lugar, para fazer somente o que será *recebido* como amor.

Se a atitude que você vem adotando não está sendo interpretada como amigável, talvez seja necessário revê-la. É possível que não tenha percebido que seu parceiro não está pronto para acompanhá-lo no que você está fazendo. Exceto talvez ao lidarmos com estranhos, é uma inverdade afirmarmos que não conhecemos o ego dos outros bem o suficiente para prever o que eles irão aceitar com tranqüilidade. Com certeza, sabemos o bastante a respeito deles para, em uma discussão, dizer coisas que os deixarão tristes ou irritados.

As batalhas que eu e Gayle travamos nos primeiros anos de casamento – que agora nos fazem rir, mas que na época quase nos levaram à separação – há tempos pertencem ao passado, e estamos nos empenhando para superar os pequenos ataques de raiva que ainda ocorrem esporadicamente. Esse é um objetivo justo, e nosso amor cresce a cada pequeno progresso que fazemos. No entanto, usar o conhecimento que temos do parceiro para nos aproximar dele, e não para provocá-lo, muitas vezes parece ser uma tarefa impossível. Hoje, compreendo que não era a tarefa e sim meu conflito quanto ao objetivo final o que não me permitia avançar.

Cedendo

Temos duas identidades – uma que consegue se unir e uma que é incapaz disso. Enquanto *defendermos* o ego, essa identidade imaginária, resistiremos à união de dois corações, pois sabemos que nossa autonomia e individualidade serão enfraquecidas no processo.

A única função do medo, da resistência que não nos deixa ceder, é proteger a infelicidade. Se, apenas por um instante, pudéssemos ver como são inúteis as posições que estamos sempre adotando – opiniões que devem ser respeitadas, traços de personalidade que precisam ser justificados –, entenderíamos que não é necessário nenhum sacrifício. Você não quer aquilo pelo que luta – você abandona o que deseja para tornar a luta possível.

> Nada que desejamos de verdade pode ser perdido por amarmos demais.

O que poderíamos perder ao buscar a paz de outra pessoa – literalmente transformando essa paz em nosso único objetivo? Na realidade, só perdemos quando agimos para destruir a paz de alguém. A perda será o único resultado seguro sempre que insistirmos em ter razão. Na certa, perderemos por amar tão pouco. No entanto, amar demais é ousarmos ser nós mesmos, é termos a coragem de ser nosso próprio coração, que é tudo o que desejamos.

No Ocidente, em particular, é comum supor que, para levar uma vida mais segura e manter um estado mental mais harmônico, é preciso ser *durão*. Não podemos, nem por um minuto, ter uma postura mais tolerante com o corpo, com o comportamento ou até mesmo com os filhos ou empregados. Em muitos lares, pais furiosos perseguem seus filhos adolescentes, gritando: "Você se esqueceu de arrumar a cama novamente." Os jovens observam a vida sofrida dos mais velhos e acreditam que, aprendendo a se manter distantes, serão capazes de evitar a dolorosa solidão em que os vêem: "Se é impossível não sofrer pequenos abandonos pela vida inteira, não devo me aproximar demais das pessoas."

A mensagem subliminar é de que o sofrimento deriva da intimidade e da delicadeza. Assim, os pais supõem que repreensões incessantes e outras formas de *manter a distância*, como castigos físicos severos, lhes garantem maior controle sobre seus filhos. A idéia de demonstrar compaixão por si mesmo soa tão absurda para certas pessoas quanto a de ter uma amizade sincera com os filhos ou de ver estranhos como irmãos.

A dor da traição, da infidelidade e do ridículo invade o ego, não o coração. A frieza, a amargura, o retraimento, a raiva e outras emoções desprovidas de compaixão que usamos para nos proteger do abandono dos amigos e das pessoas que amamos tornam a mente mais vulnerável ao sofrimento.

Você jamais sofrerá por ser extremamente fiel a alguém. Se isso acontecer, não será causado pelo amor. O velho conselho de que a dor da rejeição é o risco que temos que correr se quisermos nos aproximar de uma pessoa é tão inútil quanto falso em sua suposição de que o amor pode nos conduzir à solidão ou de que a luz pode nos levar às trevas. Existem vários motivos para o sofrimento, mas a bondade, a delicadeza e a aceitação não estão entre eles.

As alianças do ego

Ainda que os egos não sejam capazes de se unir, eles podem formar alianças, e a maioria dos relacionamentos é basicamente isso. A natureza desse alicerce os torna profundamente vulneráveis a desavenças e rupturas. Eles são também cada vez mais infelizes porque uma dinâmica crescente de separação está sempre presente. Há exemplos dessas alianças em todos os tipos de relacionamentos – entre namorados, pais e filhos, conhecidos e, é claro, nos casamentos –, e elas se traduzem essencialmente no sentimento de *eu e você contra o mundo*.

Nesses casos, é possível que as partes concordem o tempo todo, sobretudo em relação ao que há de errado com os outros. Quando interesses em comum são descobertos ou criados, eles dão a ambos os lados uma sensação de entendimento e intimidade. Se examinados mais de perto, esses vínculos se revelam mais como desagrados que as duas pessoas sentem por certas coisas externas do que como uma paixão mútua. Nossa identidade egóica nunca sabe exatamente do que gosta. Mas sabe bem do que não gosta.

Não existe amor verdadeiro ou aceitação nessas uniões. Nas relações baseadas em alianças, o que torna tão tênue o elo entre as pessoas é o fato de que o medo e a raiva são uma forma de autodestruição. E quem critica os outros experimenta de alguma forma essas emoções, o que acaba dissipando sua felicidade.

Eu e Gayle há muito reconhecemos que criticar os outros destrói a gentileza que temos um com o outro. Esse tipo de atitude coloca o relacionamento de volta na base da *aliança-do-que-detestamos*, e isso interrompe o fluxo de sentimentos amorosos. É claro que muitos casais ainda não desfrutaram um período de paz longo o suficiente para notarem a ausência dele. Ainda assim, quando um relacionamento de verdade começa a se formar, as recompensas são tão significativas que todo o trabalho necessário para mantê-las em crescimento é executado com disposição e alegria.

Por isso é tão importante que os casais tenham esperança. Um relacionamento de verdade é uma meta alcançável! E ele fornece o abrigo mais poderoso para o caos e o sofrimento do mundo. Isso acontece porque, quando dois corações que estavam separados se tornam um só coração – não importa o nome que dão a isso –, eles experimentam o que já foi denominado *divino*, eles descobrem o que chamamos de *lar*.

CAPÍTULO 17

Os entes queridos

O que é um relacionamento de verdade?

A maior e mais fatal ferida da humanidade é a velha crença de que o egoísmo funciona. O que temos diante de nós atualmente é apenas uma nova versão de uma tristeza muito antiga. A verdadeira necessidade – como sempre foi – é apenas amar, aceitar, ser prestativo, não julgar os outros precipitadamente. E o motivo é simples. Você *tem*, no fundo do seu coração, a capacidade de ser gentil e perdoar. Se existe um traço da sua personalidade que jamais será mudado, ele é a sua gentileza. Quando ela existe, você está em união, e não em desigualdade, com os interesses de cada ser vivo. Essa verdade lhe dá um enorme potencial para formar relacionamentos reais.

O que é então um relacionamento baseado no amor ou no afeto? Quem são, afinal, os *entes queridos?*

O sentimento dominante em um relacionamento de verdade é de *eu e você a favor do mundo* – exatamente o oposto de uma relação baseada em alianças do tipo eu e você contra o mundo. À primeira vista, isso pode parecer uma posição tola e inatingível. Ainda assim, é preciso muito mais esforço para não compreender os outros do que simplesmente deixar que eles sejam como são.

É possível tentar transformar os impulsos naturais de aprovação e gentileza em regras de conduta. Ser amável não significa se tornar um capacho. E aceitar as pessoas não requer que nos aliemos a elas em suas atitudes egoístas ou cruéis. O amor diz *não* com a mesma facilidade com que diz *sim*. Ele busca bem mais do que ser apenas inofensivo. Esse sentimento é gentil até com o ego do outro, mas nunca se acovarda diante dele. Instintivamente, o amor que há em você se unirá à bondade que existe nas pessoas, mas elas podem não responder de maneira positiva. Afinal, existe o livre-arbítrio.

Ainda que isso não seja amplamente reconhecido, a gentileza é, na verdade, firmeza. Mas, na nossa cultura, a raiva, a irritação e as mudanças bruscas de humor é que são consideradas expressões de firmeza ou força. Essas emoções, porém, produzem fraqueza e volatilidade.

Muitos pais, por exemplo, educam de acordo com o seu humor. Um dia acham engraçadinho quando a criança lhes dá um chute porque não quer ir para a cama; no outro, reagem com agressividade, dando uma palmada ou colocando de castigo.

O que devemos fazer, então, para nos *unirmos* a uma pessoa em vez de formarmos uma aliança com ela? Primeiro, precisamos olhar para nosso íntimo e ver ali alguém que conhece a paz, que sabe o que é o amor de verdade. Temos que sentir a existência desse eu em algum lugar lá dentro, não importa debaixo de quantas camadas ele esteja.

Também devemos estar dispostos a nos livrar do ego, a abandonar essa identidade medrosa e defensiva e nos tornar o ser humano que queremos ser – alguém que não fica procurando defeitos, que não é temperamental, que não é ciumento. Por fim, é necessário que estejamos dispostos a repetir tudo isso centenas de vezes ao dia se necessário. Pode parecer algo longe da nossa capacidade, mas é assim que começamos.

As qualidades essenciais para o seu primeiro relacionamento de verdade estão diante de você. Elas já se encontram dentro dos limites da sua rotina atual. Dois amigos, uma pessoa e um animal, um filho adulto e um pai idoso – são várias as possibilidades de relacionamentos potencialmente afetivos e carinhosos, basta dar o primeiro passo e continuar se esforçando o máximo que puder.

Mas lembre-se de que o esforço é para ver a inocência, e não uma enxurrada de atitudes sufocantes. É pensar de maneira gentil, e não esperar uma resposta amável. É dar paz, e não querer que o *deixem em paz*. É entender, mesmo quando não for bem compreendido. Por exemplo, se você é um pai e está afastado do seu filho adulto, sua função é ser um pai carinhoso – e não ter um filho carinhoso. Se você é mãe e sua filha não respeita suas opiniões, sua função é respeitar as dela.

> Concentrar-nos em fazer nossa parte é, na verdade, uma visão muito mais simples da vida do que ficar observando se os outros estão empenhados em agir da mesma forma.

Ao se colocar em uma posição mental para ter relacionamentos de verdade, eles ocorrerão naturalmente – desde que você não seja exigente demais. Escolher uma pessoa específica e depositar todas as suas esperanças na reação dela não é uma atitude sábia. Se você, de certa forma, se transformar na metade de um relacionamento de verdade, outras metades florescerão à sua volta. Mas evite antecipar mudanças nas pessoas; caso contrário, suas expectativas crescerão, levando-o a ficar cada vez mais ocupado consigo mesmo.

É importante que você não descarte ninguém com quem tem contato, a não ser que seja uma pessoa que traga à tona o que há de pior em você. Apenas pratique ser amigo de quem está à sua frente agora. Ainda que o mundo valorize demais os números, você não precisa contar seus amigos como um avarento conta dinheiro. Seja rico pela capacidade que tem de ficar em paz. Transforme-se no tipo de pessoa que gostaria de ser e, pela natureza do coração humano, você identificará aqueles que possuem um pensamento parecido com o seu.

Como são os pequenos e repetidos começos e não as grandes reviravoltas que nos levam adiante, sugiro uma maneira eficaz, ainda que limitada, para praticarmos como deve ser uma pessoa apta a um relacionamento de verdade.

- Escolha um ou dois eventos em que você terá oportunidade de encontrar pessoas durante um certo período, como uma festa ou uma saída com os amigos. O mais próximo possível do início de cada ocasião, reserve um tempo para preparar a mente. Cinco ou dez minutos bastam.
- Durante esse período, decida como quer ser nessa ocasião. Deseja ser forte? Gentil? Tranqüilo? Pense em todas as qualidades que julgar necessárias para representar os anseios do seu coração. Não escolha comportamentos contrários à sua personalidade. Por exemplo, se você costuma ser introvertido, não decida ser espirituoso. Procure um estado de espírito, não uma postura afetada.
- Mentalize a ocasião e imagine que você está sendo essa pessoa. Comece desde sua chegada ao lugar e pense em cada resposta de acordo com o estado de espírito escolhido. Lembre-se de que você é o único foco dessa prática. Visualize as pessoas e os acontecimentos em detalhes como eles possivelmente serão, e não como você gostaria que fossem. Fantasie os acontecimentos esperados e inesperados, mas observe como, no fundo, você permanece o mesmo. Mantenha a disciplina, *vendo* cada cena cuidadosamente.
- Quando a situação estiver ocorrendo de fato, seja você mesmo. Se perceber, em algum momento, que esqueceu seu propósito, pare um pouco (vá até o carro, ao banheiro ou use o telefone) e lembre-se dele. Depois volte e tente relaxar. Não fique se monitorando com ansiedade. Sua preparação antes do evento foi como empurrar um barco na água. Agora, basta remar alegremente.

Escolhendo seus encontros com carinho

O que nos impede de nos relacionarmos com quase todo mundo é o fato de estarmos sempre procurando por sinais de reciprocidade. Se não depositássemos esperanças no ego do outro, talvez fôssemos capazes de perceber os sentimentos reais da pessoa com mais facilidade e vivenciar uma afinidade, não importa a forma que isso pudesse tomar. Embora seja sempre uma possibilidade, ter contato freqüente com todas as pessoas disponíveis na maioria das vezes não ajuda muito. Os egos não amam jamais, mas de fato conseguem se dar melhor com algumas pessoas do que com outras.

Não insista em se relacionar de uma só maneira com alguém difícil para você. Sempre que possível, evite situações nas quais provavelmente cometerá mais erros do que o normal. Isso poderá desanimá-lo, levando-o a uma sucessão de falhas.

Naturalmente, existem relacionamentos que precisam ser mantidos de alguma maneira, pois virar as costas para um filho ou para um pai pode perturbar mais a saúde mental de uma pessoa do que o contato ocasional. No entanto, somos capazes de amenizar as dificuldades que surgem nesses encontros. Uma mãe talvez descubra que recebe menos sermão do filho por e-mail do que pelo telefone. Uma irmã pode constatar que o irmão é menos propenso a discussões quando as visitas acontecem na casa dele. Nós temos um amigo que só telefona para a mãe durante o dia porque os drinques que ela toma após o jantar sempre a deixam chorosa e manipuladora. O ego reluta a dar o simples passo que irá fazer a diferença. Uma batalha deve ser travada nas mesmas bases até que seja vencida – mas, em relacionamentos, não existem triunfos.

Em uma relação difícil, tentar entender nosso papel na continuidade do problema também ajuda. Várias vezes nos preparamos para a decepção e a mágoa por continuarmos a agir de uma maneira que criou atritos no passado. Interpretamos o papel que nos é dado, especialmente em relacionamentos duradouros, e falamos e fazemos o que os outros esperam. Quando alguém nos pede que tenhamos a mesma reação de sempre, é possível não atender esse pedido.

Aprendendo a relacionar-se no trabalho

Muitos de nós temos problemas de relacionamento no trabalho. Colocar várias pessoas juntas debaixo do mesmo teto, como é necessário em certas profissões, cria uma tempestade de ansiedades, tensões sexuais, depressões, expectativas e competições. É claro que isso dificulta algumas das práticas que temos discutido aqui, especialmente quando seu chefe ou certos colegas de trabalho são de fato insuportáveis.

Na maioria dos casos, a melhor solução é não tentar seguir nenhuma filosofia e simplesmente realizar suas tarefas como se fosse uma peça de engrenagem em uma máquina. O objetivo é desenvolver a prática de suprimir a percepção para ser capaz de ignorar todos os pensamentos e emoções que giram ao seu redor. Enquanto se dirige para o trabalho, de carro, de ônibus ou a pé, comece a se transformar nessa peça de engrenagem.

Esse método não nos obriga a fazer um trabalho desleixado, pelo contrário. Na verdade, nos oferece uma medida de isolamento, se permanecermos no presente, para que executemos as tarefas da melhor forma possível e sejamos atenciosos e gentis com todas as pessoas. Então, somos uma engrenagem divina!

Optando pela gentileza

Os relacionamentos devem repousar tranqüilamente em nossa mente, aninhados como pequenas flores. Eles devem revigorar e iluminar a vida. De fato, não existe motivo para que uma relação possa virar um tormento. Ainda assim há muitas ligações nas quais os envolvidos já não pensam de forma sensata – um casal que está junto há muitos anos, os pais e o filho adolescente, você e a família do seu marido ou da sua mulher.

Acredita-se que essas e muitas outras inter-relações *devem* resistir apesar de apresentarem certo grau de infelicidade. Existe até um pouco de orgulho pelo sacrifício que todos *sabem* ser inerente a elas. As pessoas fazem piadas e se mostram compreensivas, como se a infelicidade fosse a única opção possível para essas situações clássicas.

Se todos os nossos preconceitos individuais fossem reunidos, provavelmente nenhum aspecto de qualquer relacionamento estaria livre de algum grau de pânico no que se refere à realização das próprias expectativas. Já disse como o mundo, por um lado, vê os relacionamentos como a solução de todos os problemas e, por outro, condena várias interações a serem pequenos infernos dos quais ninguém escapa.

Se todos os nossos relacionamentos – casuais, curtos, duradouros – pudessem ser despidos tanto do medo quanto da expectativa e se fôssemos capazes de ver os outros como oportunidades para ficarmos em paz, então esse agitado e antigo aspecto do mundo poderia retroceder ate à esfera das coisas normais e voltar a ser uma parte feliz da nossa vida. Não existe uma razão real para que isso não possa acontecer. Tudo o que é preciso da nossa parte, em primeiro lugar, é termos consciência de como cometemos erros, do quanto nos preparamos para o sofrimento por causa das nossas expectativas e de como as alimentamos com a necessidade de ter razão.

Não aceite sem questionar as loucuras que todo mundo diz quando o assunto é relacionamento. Não seja atropelado por humores passageiros e emoções pequenas. Uma profunda serenidade ainda é algo atingível. Seja gentil da cabeça aos pés. O mundo não irá recusar o seu amor.

Para finalizar

A felicidade não é barulhenta. Não é um tempo especial que reservamos, uma festa, um acontecimento que se destaque mais do que os outros. Ela nem mesmo é algo que possamos executar. É possível marcar a data de uma comemoração, mas não há meios de agendar a autêntica felicidade.

Ela também não é uma fantasia provocada por uma música ou um filme. Como é inofensiva, é incapaz de favoritismos. Nem é um estado que admita comparações. Não basta saber que existem aqueles que sofrem mais do que nós. A felicidade não está na floresta, e sim no riacho límpido e tranqüilo que a atravessa. Não precisamos de inteligência, nem de talento, nem de insensibilidade, nem de raiva para termos *nossa parte* dela. Na verdade, precisamos de muito pouco.

Se você aderir ao pequeno número de princípios discutidos neste livro, conhecerá uma felicidade crescente e segura. Não existe muita coisa para aprender. Seu sucesso estará muito mais na disposição para se esforçar do que na elegância do método que empregará para obtê-la. Embora o mundo acredite que os erros têm uma grande importância e que devem ser repensados para forjar uma pessoa melhor, a verdade é que eles não são importantes. O fundamental é recomeçar. Uma abordagem inapropriada precisa primeiro ser reconhecida e depois descartada. Quando insistimos na fraqueza, não praticamos a força.

Os componentes da felicidade são bem simples: gentileza, paz, concentração, simplicidade, perdão, humor, destemor, confiança e a disposição para viver o presente. Cada uma dessas qualidades inclui todas as outras, pois a felicidade é um todo, e a pessoa só se completa quando é feliz.

Simplicidade

A simplicidade é uma característica que não pode ser julgada pelas aparências. É uma estabilidade, uma firmeza, uma retidão, uma pureza de espírito que muitas vezes se expressa por um estilo de vida mais simples – uma alimentação simples, uma rotina mais metódica, o uso do tempo de modo mais inteligente, menos desordem, menos caos financeiro, menos envolvimentos. Em outras palavras: menos mundo, mais paz.

Mas não existem regras, nem restrições, nem dimensões externas para o conhecimento profundo da felicidade. É possível ser verdadeiramente rico e ainda ser simples. Do mesmo modo, uma pessoa pode não ter nada e ser inteiramente confusa e desligada. A simplicidade consegue achar prazer em lugares inesperados e despercebidos, como a família e o trabalho.

Durante seus momentos de dificuldade, ajude a si mesmo fazendo menos, pensando menos, se relacionando com gentileza, sendo uma coisa só. Deixe o mundo sereno. Seja apenas simples. A felicidade não requer nada mais do que isso.

Agora

O principal erro que cometemos e que nos mantém afastados do presente é esperar demais de uma lembrança ou ter muitas expectativas em relação ao futuro. Só aumentamos nossa tensão quando perseguimos um tempo que está ausente. O presente não é de modo algum mais virtuoso. É que este instante é o único tempo em que temos a oportunidade de sermos felizes. Então, por que desperdiçá-lo?

Não há jeito de sermos felizes esta tarde, esta noite, depois do divórcio, depois dos exames finais, depois que o empréstimo acabar. A mente jamais consegue enganar muito tempo a si mesma dizendo que o incerto é o certo.

É claro que isso não implica que não devamos fazer planos

para as nossas necessidades futuras ou da nossa família. O universo não vai recompensá-lo porque você tem as crenças certas. Portanto, não largue seu emprego, não cancele seu seguro, nem deixe as contas vencerem.

Deixe para trás tudo que está atrás e conheça a leveza, a felicidade que a prática do presente pode trazer. Que outro tempo, senão agora, pode tocar nosso coração e nos trazer paz? Em que momento há uma chance de perdoar e unir-se ao outro com amor? Fique onde está. Ame os que estão junto a você. Abençoe a vida que você tem. A felicidade não requer nada mais do que isso.

Gentileza

A gentileza é um modo de pensar. Somente a mente pode envenenar o dia. O dia não pode envenenar a mente. Uma mente verdadeiramente gentil vai permanecer feliz até mesmo sob circunstâncias difíceis. Mas é ilusão acreditar que a gentileza nos tornará imunes às agressões externas.

Se valorizamos nosso estado de espírito, tomamos as providências necessárias para protegê-lo, evitando dizer coisas que possam ser mal interpretadas ou fazer algo que nos desvie do caminho certo. A razão pela qual freqüentemente provocamos mais o mal do que o bem é que não paramos para perceber o que a outra pessoa quer. Pessoas gentis são também atenciosas com si mesmas.

A gentileza pode lidar com qualquer assunto sem provocar feridas, sem querer prejudicar. Não vê nenhuma ofensa em um rosto, uma palavra, um gesto, uma atitude, uma opinião. Não condena a fraqueza nem teme a raiva. Nem se esconde do mundo nem se revolta contra ele. É adaptável, faz concessões, compreende, não tem nada a provar. Assim permanece ela mesma. A felicidade não requer nada mais do que isso.

Paz

A paz, ou a ausência de conflito, é o núcleo da felicidade. Todas as formas de infelicidade são geradas por um estado de espírito que deve ser imediatamente reconhecido se quisermos conhecer a felicidade a fundo. Se você não está seguro do que irá fazer ou falar, está prestes a dispersar seus pensamentos e jogar fora sua paz. Não é tão difícil assim reconhecer o conflito, só estamos sem prática.

A paz é a disposição para não se precipitar. É possível identificar um impulso do ego pela sensação de urgência que sentimos: "Faça rápido antes que seja muito tarde." Muito tarde para o quê? Em sua correria para ser infeliz, repare como você está disperso e confuso sobre as razões para não esclarecer as coisas. Não tenha medo de parar e analisar melhor a situação. Uma parada momentânea não é um desperdício.

Pratique ser mais lento – lento para reagir, lento para se enfurecer, lento em julgar, lento para ter uma opinião. Reserve um tempo para olhar dentro do seu coração e faça da sua mente uma casa clara, íntegra e tranqüila. Você quer ser feliz? Então quer ter paz. A felicidade não requer nada mais do que isso.

Perdão

A raiva e o julgamento têm uma terrível capacidade de envenenar as situações. Não importa se seus efeitos iniciais são controlados ou não, eles jamais são eliminados completamente do sistema por alguma alquimia do tempo. Na verdade, as pessoas tendem a se tornar mais severas e amargas à medida que envelhecem. Os ressentimentos são varridos para os cantos da mente e, pouco a pouco, não há mais espaço para pensar, para se divertir, para ver o mundo com clareza. Cada julgamento passa a ser parte da nossa identidade, um ponto de honra, e não gostamos que eles sejam questionados.

O perdão é a alternativa – mas isso não significa abrir os portões das prisões ou conviver com alguém que nos irrita. O perdão é uma abstração, não um comportamento. É uma manifestação interior de respeito por si mesmo.

As bases para o perdão são simples: os ressentimentos não são dignos de você. Perdoar significa apenas continuar caminhando em direção ao seu objetivo sem se deixar envenenar pelos acontecimentos. Sem esperar que as coisas dêem certo. Perdoe, mas não pense como você deve agir agora. Perdoe, mas não tente convencer o outro a perdoar. Perdoe, mas não se ache superior por isso. Simplesmente perdoe. A felicidade não requer nada mais do que isso.

Humor

O riso é o som mais bonito da Terra. Quando soa no coração de alguém, ecoa no dos outros e sempre consegue fazer com que as pessoas se sintam mais próximas, mais compreendidas e mais admiradas. É como um pequeno banho de amor, uma bolha de felicidade que estoura irremediavelmente. Nasce da paz, passa por um ambiente agradável e irrompe de modo natural.

O verdadeiro humor é um fluxo contínuo de felicidade que as crianças normalmente possuem. Você pode constatar isso nos olhos delas, esperando pela desculpa mais superficial para se derramar. Quando Jordan tinha três anos, ele gostava de fazer graça. Embora suas brincadeiras acabassem não tendo nenhum sentido, todo mundo ria porque ele estava encantado por fazê-las.

Muitas pessoas perdem o humor com o passar dos anos e com o acúmulo de problemas. Nossas pequenas piadas baseiam-se cada vez mais em segregação e são sofisticadas e amargas. Para onde foi a criança? Perdeu-se no medo e na seriedade. O que o ego não consegue captar é que a felicidade não é algo frívolo – ela é séria.

Antigamente sabíamos como não deixar que as coisas fossem tão reais. O mundo dançava diante de nós porque olhávamos para ele com encantamento. Isso ainda é possível. Seja um pouco divertido, um pouco descontraído, um pouco menos armado. Mergulhe em sua gentileza inata e olhe com bondade para o mundo – ele é um lugar bem divertido. É um filme dos Irmãos Marx em que nada dá certo. Então, tire seus sapatos, recoste-se na cadeira e aproveite o absurdo disso tudo. Volte a ser uma criança. A felicidade não requer nada mais do que isso.

Destemor

O medo é um dos grandes obstáculos à felicidade. A parte medrosa da nossa mente acredita que a felicidade é um sinal de fraqueza e se sente atraída por tudo que reforce este ponto de vista. É por isso que desejamos ardentemente saber o pior de todo mundo, de cada dia. Somos alimentados de medo, apimentamos nossas conversas com histórias de perdas, memorizamos cada estatística negativa que atravessa nosso caminho. Não há dúvida de que o mundo é uma confusão. Por que esse fato requer nossa vigilância constante?

Dentro do seu coração, você anseia por ser ao menos uma pequena resposta à grande tristeza do mundo. Uma mente destemida cura porque dá esperança. Sem dizer ou negar uma palavra, ela encoraja e acalma. O destemor não é uma pretensão tola de ser imune aos perigos do mundo. Ele apenas sussurra: "Faça o que puder fazer de forma mais pacífica. E do modo mais tranqüilo e feliz."

Repare como nossas mentes foram treinadas para rejeitar esse conselho simplório. Onde estão as intermináveis questões do dever e da responsabilidade? Onde estão os conflitos do passado? Talvez, por apenas um momento, saibamos aquilo que poderíamos fazer com mais serenidade, mas o que nos garante que vale a pena agir dessa maneira? Muito possivelmente, nada. Então, no que vamos confiar? Caminhe em paz e sem medo. A felicidade não requer nada mais do que isso.

Concentração

Vivenciamos o que vemos. No mundo, sempre fixamos nossa atenção sobre a qualidade da mente que está projetada. Em todos os pensamentos, ou estamos fazendo julgamentos ou estamos felizes. Cada pensamento é um foco e vê o mundo banhado em escuridão ou em luz. Para a maioria das pessoas a concentração está tão pulverizada que a maior parte do dia é uma névoa cinzenta sem o menor significado.

Seja simples, bem-intencionado, concentrado. Saiba quem você é e o que deseja. Formule seu propósito em palavras, grave em seu coração, repita em sua mente e, sobretudo, vivencie e veja. A verdade é verdadeira. A felicidade é melhor do que a infelicidade. Portanto, concentre-se na felicidade. Resolva que "hoje vou ser feliz" e assim será. A felicidade não requer nada mais do que isso.

Confiança

Levamos nosso corpo ao nutricionista, nossa mente ao terapeuta, nossos filhos à escola. Estamos tão acostumados a pensar que qualquer benefício possível tem que vir de uma fonte exterior que não vemos nossa sabedoria interior como alternativa.

O ego pega a autoconfiança e a transforma em egoconfiança. Em deferência a esse eu, somos solicitados a respeitar nossa irritação e nosso egoísmo como se fossem nossa essência. Mas nós *conhecemos* a sabedoria do nosso coração. Já a sentimos. Só que ficamos confusos com muita freqüência. Dizem-nos para duvidar e duvidamos.

Por hoje, confie em seu próprio sentido de felicidade – o que o faz feliz e o que não faz. Deixe que isso se aplique a sua alimentação, suas roupas, seus relacionamentos, suas aspirações espirituais. Permita que impregne suas despesas e economias, sua saúde e o ambiente em que vive. Conheça seu próprio coração. Existe muita limpeza a ser feita, um grande número de suposições tolas sobre o que é excitante e desejável nas quais você vinha falsamente acreditando.

Faça com que as raízes do seu conhecimento se aprofundem e se expandam. Regue-as com paciência e firmeza de propósito. Torne a paz sua aliada. Pratique a confiança e você terá as bases para confiar. Pratique a si mesmo e você conhecerá um eu que toca os outros com uma utilidade verdadeira. Pratique seu coração e você será feliz. A felicidade não requer nada mais do que isso.

Aqui termina nossa conversa, mas não o esforço e o objetivo que partilhamos. Caminhamos juntos como fazem todos aqueles que deixaram a discórdia de lado e pousaram seus olhos no amor. Esse é outro modo de vermos o mundo. Não exige idéias especiais, nenhum vocabulário específico, nenhuma crença particular, somente bastante esperança no amor e na paz para prosseguirmos com ela em nossa família, em nosso trabalho, nas ruas, nas lojas. Apenas a boa vontade de tentar ser o tipo de pessoa que desejamos ser – que aceita os outros como eles são.

Vamos então fazer essa jornada juntos. A distância para o coração é de fato pequena. Onde mais ele poderia estar senão no mesmo lugar em que você? É um direito seu ser feliz. Foi para isso que recebeu a vida. E, se não oferecer resistência, a felicidade encontrará um meio de transbordar do seu coração e encher seus dias. Mantenha-se apenas aberto a acolhê-la, e ela chegará e permanecerá com você para sempre.

Conheça outro título do autor

Não leve a vida tão a sério

A vida não precisa ser tão complicada quanto insistimos em torná-la. A simples decisão de não nos agarrarmos aos problemas pode melhorar – e muito – nossas vidas. É isso o que Hugh Prather nos mostra, com humor e clareza, nesse livro.

Ele escreve sobre as dificuldades do dia-a-dia e nos dá ferramentas para contorná-las, mudando o que há de mais importante na vida: a atitude mental e a forma de reagir aos inevitáveis contratempos.

Seus ensinamentos são baseados em histórias reais que nos deixam com a sensação de já ter passado por aquela situação ou testemunhado algo parecido. Você aprenderá soluções práticas para dar um basta às preocupações e ao medo e se libertar de tudo aquilo que impede sua felicidade.

INFORMAÇÕES SOBRE OS PRÓXIMOS LANÇAMENTOS

Para receber informações sobre os lançamentos da EDITORA SEXTANTE, basta enviar um e-mail para atendimento@esextante.com.br ou cadastrar-se diretamente no site www.sextante.com.br

Para saber mais sobre nossos títulos e autores, e enviar seus comentários sobre este livro, visite o nosso site: www.sextante.com.br

EDITORA SEXTANTE
Rua Voluntários da Pátria, 45 / 1.404 – Botafogo
Rio de Janeiro – RJ – 22270-000 – Brasil
Telefone: (21) 2286-9944 – Fax: (21) 2286-9244
E-mail: atendimento@esextante.com.br